Cwrs Canolradd

Y trydydd llyfr cwrs mewn
cyfres o dri i oedolion
sy'n dysgu Cymraeg

The third course
book in a series of three
for adults learning Welsh

Fersiwn y Gogledd
North Wales Version

Eirian Conlon
Emyr Davies

CBAC WJEC

Cyhoeddwyd gan CBAC
Cyd-bwyllgor Addysg Cymru

Yr Uned Iaith Genedlaethol,
CBAC, 245 Rhodfa'r Gorllewin,
Caerdydd CF5 2YX

Argraffwyd gan Wasg Gomer

Argraffiad cyntaf: 2006

ISBN 1 86085 583 0

Noddir gan
Lywodraeth
Cynulliad Cymru

Cydnabyddiaeth

Awduron: Eirian Conlon, Emyr Davies

Golygydd: Glenys Mair Roberts

Dylunydd: Olwen Fowler

Rheolwr y Project: Emyr Davies

Awdur yr Atodiad i Rieni: Carole Bradley

Lluniwyd y darluniau gwreiddiol gan Brett Breckon.

Mae'r cyhoeddwyr yn ddiolchgar i'r canlynol am ganiatâd
i ddefnyddio ffotograffau:

Photolibrary Wales (llun y clawr)
Western Mail Cyf. - t. 26 (Ryan Giggs); t. 32 (Bryn Terfel)
Robin Llywelyn, Portmeirion - t. 27
Empics - t. 33
Eirian Conlon - t. 82 (Nansi Richards ac Eirian Conlon)
Cyngor Sir Penfro, Gwasanaethau Twristiaeth a Hamdden - t. 99
    (Dinbych-y-pysgod)
Bwrdd Croeso Cymru - t. 99 (mynyddoedd dan eira)
Ysgol Gerdd Ceredigion - t. 123
Penri Williams - t. 125
S4C - t. 127

Tynnwyd y ffotograffau eraill gan
Pinegate Photography ac Olwen Fowler.

Diolch hefyd i *Golwg* ac i *Y Cymro* am ganiatâd i ddefnyddio
darnau o erthyglau.

Nodyn

Mae hwn yn gwrs newydd sbon, felly croesewir sylwadau
gan ddefnyddwyr, yn ddiwtoriaid ac yn ddysgwyr. Anfonwch
eich sylwadau drwy e-bost at: lowri.morgan@cbac.co.uk, neu
drwy'r post at: Lowri Morgan, Yr Uned Iaith Genedlaethol,
CBAC, 245 Rhodfa'r Gorllewin, Caerdydd, CF5 2YX.

Cyflwyniad

Y *Cwrs Canolradd* ydy'r olaf mewn cyfres
o dri llyfr cwrs i helpu dysgwyr i siarad
Cymraeg. Mae fersiwn i ddysgwyr yn ne
Cymru a gogledd Cymru. Mae'r llyfr yn
addas *(suitable)* i ddosbarthiadau sy'n
cyfarfod unwaith yr wythnos neu ar gyrsiau
mwy dwys *(intensive)*. Mae'n dilyn *Cwrs
Sylfaen* a gyhoeddwyd *(published)* gan CBAC.

Fel efo'r *Cwrs Sylfaen* mae 30 uned i'w
defnyddio yn y dosbarth Cymraeg, yn
cynnwys unedau adolygu. Mae'r unedau
cyntaf yn gyfle i adolygu hefyd. Mae'r
patrymau newydd mewn blychau *(boxes)*
ac mae llawer o weithgareddau *(activities)*
i roi'r patrymau hynny ar waith.

Mae *Pecyn Ymarfer* ar gael yn cynnwys
tasgau gwaith cartref, a hefyd CDs neu
gasetiau adolygu. Y peth gorau ydy siarad
Cymraeg a defnyddio'r iaith efo ffrindiau
a theulu. Mae dau atodiad *(appendix)* ar
ddiwedd y llyfr cwrs: un i bobl sy'n dysgu
Cymraeg yn y gwaith, a'r llall *(the other)* i
rieni sy'n dysgu Cymraeg efo'u plant. Mi
fydd y tiwtor yn dewis gweithgareddau o'r
atodiad, neu mae croeso i chi eu defnyddio
eich hun.

Ar ddiwedd y cwrs, mi fyddwch chi'n
barod i sefyll arholiad *Defnyddio'r Gymraeg:
Canolradd*. Does dim **rhaid** sefyll arholiad,
ond mae'n rhoi sbardun *(spur, incentive)* i
chi weithio'n galed! Mae hwn yn arholiad
sydd wedi ei achredu *(has been accredited)* ar
lefel 2 - yr un lefel â TGAU *(GCSE)*.

Erbyn cyrraedd y lefel hon, dach chi'n barod
i ddechrau darllen llyfrau, e.e. mae llyfrau
Bob Eynon yn addas, neu lyfrau i bobl
ifanc. Edrychwch ar wefan *(website)* Cyngor
Llyfrau Cymru, www.gwales.com, am ragor
o wybodaeth. Hefyd, mae cylchgronau
(magazines) neu bapurau fel *Y Cymro* neu
Golwg ar gael. Cofiwch edrych ar S4C a
gwrando ar Radio Cymru gymaint ag y
gallwch chi. Does dim rhaid dallt pob gair!

Pob hwyl efo'r cwrs a phob lwc wrth
ddefnyddio'r Gymraeg!

Cynnwys

Gogledd Cymru

Cwrs Canolradd: Uned 1

Nod: Dŵad i nabod y dosbarth ac adolygu

 **Dŵad i nabod y dosbarth**

Os dach chi'n nabod rhai aelodau o'r dosbarth yn barod, llenwch y tabl.
Rhaid i chi ofyn cwestiynau i bawb arall.

Enw	Byw	Gweithio	Teulu	Gwyliau diwethaf

 **Sgwrsio**

1. Gofynnwch y cwestiynau yma i'ch partner.
Os dach chi'n cael yr ateb 'Do...',
cofiwch ofyn mwy! e.e. Lle? Efo pwy?
Pryd? Am faint?

> Yn ystod y gwyliau, est ti ...
> ... i weithio yn yr ardd?
> ... i amgueddfa / oriel?
> ... ar awyren?
> Gest ti ymwelwyr i'r tŷ?

amgueddfa (b)	- *museum*
oriel (b)	- *gallery*
ymwelwyr	- *visitors*

2. Ewch at bartner newydd. Dechreuwch drwy ddweud y peth mwya diddorol glywoch chi am eich partner cyntaf. Yna siaradwch am y cwestiynau yma efo'ch partner newydd.

> Wnest ti nofio?
> Wnest ti weld hen adeilad?
> Wnest ti deithio ar drên?
> Wnest ti weithio ar y tŷ?

| adeilad | - | *building* |

3. Partner newydd eto! Soniwch am un peth ddwedodd eich ail bartner, yna trafodwch y cwestiynau yma:

> Wnest ti rywbeth diddorol?
> Wnest ti fwyta allan?
> Est ti i gyngerdd / sioe / eisteddfod?
> Est ti ar long / gwch?
> Est ti i ddinas?

4. Am y tro olaf, ffeindiwch rywun newydd os medrwch chi a deudwch un peth a glywoch chi gan eich partner diwethaf. Siaradwch am y pynciau yma efo'ch partner.

> Est ti i lan y môr?
> Wnest ti aros dros nos efo ffrindiau / teulu?
> Est ti ar fws?
> Wnest ti ddefnyddio ewros?

| ewro(s) | - | *euro(s)* |

Rŵan, efo'r un partner, edrychwch ar y cwestiynau i gyd. Penderfynwch faint o'r dosbarth, gan gynnwys y tiwtor, sy wedi gwneud y pethau yma. Ydy pawb, y rhan fwyaf, hanner, llai na hanner, bron neb neu neb wedi gwneud y pethau yma? Wedyn, fel dosbarth, cymharwch eich atebion!

Tasg

Mi fydd eich tiwtor yn rhoi cardiau post neu luniau o ddinasoedd gwahanol i chi. Mewn grwpiau o dri, siaradwch am un o'r llefydd gan ddefnyddio brawddegau fel hyn:

> Mi fues i yn _____ unwaith, pan o'n i'n ifanc.
>
> Mi faswn i wrth fy modd yn mynd i _____ .
>
> Dw i'n meddwl bod _____ yn ddrud iawn.
>
> Taswn i'n mynd i _____ mi faswn i isio gweld y _____ .
>
> Mi fasai'n rhaid i chi hedfan o _____ i gyrraedd y lle.

Deialog

Taith i Iwerddon

A: Sut aeth y trip?

B: Ofnadwy!

A: Be' ddigwyddodd?

B: Wel, mi aethon ni i'r orsaf trenau am hanner awr wedi chwech...

A: O na! Wnaethoch chi ddim colli'r trên, naddo?

B: Naddo - ond wnaeth y trên ddim cyrraedd. Dail ar y lein, dw i'n meddwl.

A: Be' wnaethoch chi wedyn? Wnaethoch chi golli'r cwch?

B: Naddo - mi wnaeth Huw yrru fel peth gwyllt yr holl ffordd i'r porthladd.

A: Wnaethoch chi gyrraedd mewn pryd?

B: Do wir - pan oedden ni yn y porthladd mi welodd Huw fod y cwch yn hwyr iawn yn cyrraedd o Iwerddon.

A: Pam?

B: Roedd hi mor stormus. Ond mi ddaeth y cwch ac mi aethon ni ar y cwch.

A: Sut oedd y siwrnai?

B: Ofnadwy. Roedden ni i gyd yn sâl môr.

A: Be' wnaeth ddigwydd wedyn?

B: Ar ôl chwech awr mi wnaethon ni gyrraedd Iwerddon. Roedd hi'n bwrw'n drwm felly mi wnaethon ni aros yn y dafarn agosaf nes cael y cwch nesa adre.

A: O jiw! Ond sut oedd y Guinness?

B: Bendigedig, diolch byth.

Darllenwch y ddeialog ddwy waith efo partner.
Wedyn, efo'ch gilydd, newidiwch y ddeialog i fod
yn stori hapus! Mi gewch chi fynd i rywle arall...!

 Darn Darllen

Darllenwch y darn ac atebwch y cwestiynau:

Dros yr haf ro'n i eisiau mynd i'r Eisteddfod
Genedlaethol i siarad Cymraeg. Ond roedd pawb
arall o'r teulu'n meddwl bod yr Eisteddfod yn
bell. Dim ond pythefnos o wyliau oedd gen i o'r
gwaith ac roedd pawb arall eisiau mynd dros y
môr. Felly, aethon ni i Lydaw efo teulu arall
o ffrindiau. Yn anffodus, doedd neb arall yn
siarad Cymraeg, felly mi baciais i fy llyfr cwrs
(wrth gwrs!) i gael adolygu ar ben fy hun ar y
traeth. Mi hwylion ni dros nos o Plymouth i
Roscoff. Ro'n i'n meddwl bod y cwch yn gyfleus ac yn gyfforddus. Amser brecwast
wrth fwyta fy *croissant*, roedd hi'n amlwg ein bod ni yn ymyl gwlad wahanol - roedd
llawer o bobl yn siarad Ffrangeg, a rhai, wrth gwrs, yn siarad Saesneg. Yn sydyn, mi
glywais i iaith arall – Llydaweg? Na, ro'n i'n deall y plant yna'n gweiddi ar ei gilydd!
Teulu o'r Bala oedd yna! Mi wnaethon ni ddweud helo, siarad am y cwch yn Gymraeg
a gorffen ein brecwast. Pan gyrhaeddon ni ein bwthyn ger Kemper, mi wrandawais i'n
ofalus, ond chlywon ni ddim llawer o Lydaweg - dim ond mewn siop recordiau. Yn
y farchnad, pwy oedd yno ond Katie o'r dosbarth Cymraeg! Mi aethon ni i *Creperie*
am grempog a seidr - a do, mi sgwrsion ni yn Gymraeg! Felly doedd dim rhaid i
mi fynd i'r Eisteddfod i ymarfer fy Nghymraeg wedi'r cwbl!

Jane Jones

a.   Pam oedd Jane eisiau (isio) mynd
     i'r Eisteddfod Genedlaethol?   _____

b.   Pam doedd hi ddim wedi mynd?   _____

c.   Sut aeth hi i Lydaw?   _____

ch. Efo pwy aeth hi?   _____

d.   Oedd y daith yn hir?
     Sut dach chi'n gwybod?   _____

dd. Pa ieithoedd glywodd hi ar y cwch?   _____

e.   Lle oedd hi'n aros?   _____

f.   Glywodd hi Lydaweg o gwbl?   _____

ff. Efo pwy wnaeth hi siarad Cymraeg?   _____

Gwrando

Mi fydd eich tiwtor yn chwarae dwy sgwrs ar CD neu dâp.
Llenwch y grid yma wrth wrando, yna trafod eich atebion efo'ch partner.

Enw		
Teulu		
Gwyliau diwetha		
Fel arfer		
Problemau		

Sgwrsio

i. Dach chi wedi cyfarfod rhywun roeddech chi'n nabod ar wyliau erioed?

ii. Dach chi wedi gweld rhywun enwog ar wyliau erioed?

iii. Lle oedd y gwyliau mwya 'gwahanol' gaethoch chi erioed?

iv. Pa mor aml dach chi'n mynd ar wyliau?

Geirfa

adeilad(au)	-	*building(s)*
adolygu	-	*to revise*
amgueddfa		
(amgueddfeydd) (b)	-	*museum(s)*
amlwg	-	*obvious*
crempog(au) (b)	-	*pancake(s)*
cyfleus	-	*convenient*
cyfforddus	-	*comfortable*
deilen (dail) (b)	-	*leaf (leaves)*
Llydaw	-	*Brittany*

Llydaweg	-	*Breton*
oriel(au) (b)	-	*gallery (-ies)*
porthladd(oedd)	-	*port(s)*
peth gwyllt	-	*wild thing*
sâl môr	-	*sea-sick*
seidr	-	*cider*
sgwrsio	-	*to chat*
stormus	-	*stormy*
ymwelydd		
(ymwelwyr)	-	*visitor(s)*

Cwrs Canolradd: Uned 2

Nod: Adolygu fi, ti, fo, hi…, rhaid i mi…, a siarad am y teulu

 Sgwrsio

i.   Oes gynnoch chi deulu sy'n byw yn lleol? Pwy? Be' maen nhw'n wneud?

ii.   Oes gynnoch chi deulu sy'n byw dramor? Pwy? Be' maen nhw'n wneud?

iii.   Dach chi'n gwybod rhywbeth am hanes eich teulu chi yn y gorffennol?

      Pa mor bell yn ôl? Oes 'na rywun diddorol yn eich teulu chi?

Ymarfer

Mae fy **mr**awd i ym **M**angor	(B)
Mae fy **nh**ad i yn **Nh**reorci	(T)
Mae fy **ngŵr/ng**wraig i yng **Ng**wynedd	(G)
Mae fy **mh**lant i ym **Mh**restatyn	(P)
Mae fy **ngh**efnder i yng **Ngh**aerdydd	(C)
Mae fy **n**osbarth i yn **N**olgellau	(D)

Treiglad trwynol sy'n dŵad ar ôl 'fy' ac ar ôl 'yn'.
Rŵan, efo'ch partner meddyliwch am lefydd eraill.
Mi fydd eich tiwtor yn rhoi cardiau i chi ymarfer.

> llysferch (b) - *step-daughter*

Nodyn – weithiau mi fyddwch yn clywed 'dy frawd di' ac weithiau 'dy frawd'.

Mae dy **fr**awd yn dŵad o **Fl**aenafon	(B)
Mae dy **d**ad yn dŵad o **Dr**effynnon	(T)
Mae dy **ŵr** di'n dŵad o **L**yn-nedd	(G)
Mae dy **wr**aig di'n dŵad o **L**yn-nedd	(G)
Mae dy **bl**ant yn dŵad o **B**ontypridd	(P)
Mae dy **g**efnder yn dŵad o **G**aernarfon	(C)
Mae dy **dd**osbarth yn dŵad o **Dd**inbych y Pysgod	(D)
Mae dy **f**am yn dŵad o **F**aesteg	(M)
Mae dy **l**ysferch yn dŵad o **L**angefni	(LL)
Mae dy **r**ieni yn dŵad o **R**ydaman	(RH)

Treiglad meddal sy'n dŵad ar ôl 'dy' ac ar ôl 'o'.
Treiglad meddal sy'n dŵad ar ôl 'ei... o', ac ar ôl 'i'.
Rŵan, efo'ch partner, siaradwch am lefydd eraill y mae **o**'n mynd iddyn nhw.
Mi fydd eich tiwtor yn rhoi cardiau i chi ymarfer.

e.e. Mae ei **f**erch yn mynd i **F**anceinion...

Treiglad llaes sy'n dŵad ar ôl 'ei... hi'. Rhaid treiglo efo geiriau sy'n dechrau efo T, C neu P,
e.e. ei **ch**efnder hi, ei **th**ad hi, ei **ph**lant hi.

 Tasg - trafod carafán Carys

Mae gan Carys garafán. Efo'ch partner, siaradwch am y bobl a'r pethau sy yn y garafán, e.e.

A. Yng ngharafán Carys mae ei thad hi.
B. Yng ngharafán Carys mae ei ..... hi

tad		plant
cefnder		tiwtor
parot		cath
ci		cyfrifiadur
teledu		tŷ bach

Ymarfer

Rhaid i mi fynd
Rhaid i ti weithio
Rhaid i ni aros adre
Rhaid i chi ddŵad i'r dosbarth
Rhaid iddyn nhw adael

 Tasg - trafod pabell Pedr

Mae gan Pedr babell, ac mae ei deulu i gyd
yn ei helpu fo yn y babell. Sut maen nhw'n
medru helpu? Gofynnwch i'ch partner, e.e.

C: Be' am ei gefnder o?
A: Rhaid iddo fo olchi'r llestri.

Dyma rai awgrymiadau:

cyfnither	- golchi'r llestri
tad	- clirio'r bwrdd
plant	- tacluso
mab	- bwydo'r ci
merch	- gwneud y te
gwraig	- berwi'r tegell

Sgwrsio

> **C:** Dach chi wedi bod ar wyliau mewn pabell erioed? Fasech chi'n mynd eto?
>
> **C:** Dach chi wedi bod ar wyliau mewn carafán erioed? Fasech chi'n mynd eto?

Ymarfer

> Cyn i mi wneud dim byd
> Cyn iddo fo wneud dim byd
> Cyn iddi hi wneud dim byd
> Cyn iddyn nhw wneud dim byd

> **Ar ôl i...**
> **Erbyn i...**

Gofynnwch eto be' ddylai pawb ym mhabell Pedr wneud, e.e.

> **C:** Be' ddylai Pedr wneud?
> **A:** Cyn iddo fo fynd i gysgu, rhaid iddo fo wneud y gwely.
> **C:** Be' am ei wraig?
> **A:** Ar ôl iddi hi godi, rhaid iddi hi wneud paned.

Tasg – defnyddio 'erbyn i'

Darllenwch y darn yma. Yna, newidiwch y darn i sôn (i) amdano fo, a (ii) amdani hi.

> Erbyn i mi gyrraedd y dosbarth roedd pob sêt yn llawn.
> Mi es i i wneud paned rhag ofn i mi beidio cael bisged, ond erbyn
> i'r tegell ferwi roedd y bisgedi wedi mynd. Erbyn i'r dosbarth
> orffen ro'n i'n llwgu!

Tasg – defnyddio 'rhag ofn i'

Dach chi'n pacio ces i fynd ar gwrs Cymraeg am benwythnos!
Rhaid i chi ofyn i'ch gilydd pam dach chi'n pacio gwahanol bethau, e.e.

> **C:** Pam wyt ti'n pacio eli haul?
> **A:** Rhag ofn i mi losgi!

Efo'ch partner meddyliwch am atebion i'r
cwestiynau yma, gan ddechrau efo 'Rhag ofn...'

> Pam wyt ti'n pacio ymbarél?
> Pam wyt i'n pacio geiriadur?
> Pam wyt ti'n pacio 'sgidiau cryf?
> Pam wyt ti'n pacio llyfr emynau?

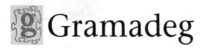

Gramadeg

Cofiwch, wrth ddefnyddio patrwm efo 'i', does dim 'yn', ac mae treiglad meddal yn dilyn.

Rhaid	i mi	fynd
Cyn	i ti	weithio
Erbyn	iddo fo	gerdded
Ar ôl	iddi hi	adael
Rhag ofn	i ni	bacio
	i chi	
	iddyn nhw	
	i'r plant	

Tasg – newid y darn

Darllenwch y paragraff yma yn uchel, gan dreiglo'r enwau llefydd yn gywir.

Ein teulu ni

Dan ni'n byw yn [Prestatyn]*, ond dydy ein perthnasau ni ddim i gyd yn byw yn yr ardal.*
Mae ein brawd ni'n byw yn [Treffynnon] *a'n chwaer ni'n byw yn* [Bethesda]*. Mae ein*
tad ni'n byw yn [Caerdydd]*. Ond mae ein cyfnither ni, Camilla yn byw yn* [Manceinion]
a'n cefnder ni, Dimitri yn byw yn [Gwlad Groeg] *a'n cefnder ni, Xavier yn byw yn*
[Portiwgal]*. Roedd ein taid ni yn yrrwr bws tripiau Cae-lloi!*

(Cae-lloi – Cwmni teithiau bws o Wynedd)

Rŵan, efo'ch partner, newidiwch y darn i:
1. Fy nheulu i
2. Dy deulu di
3. Ei theulu hi

👥 Deialog

Yn y feddygfa

A: Doctor, mae fy merch yn mynd ar wyliau efo'i theulu.

B: Lle maen nhw'n mynd?

A: I Affrica. Oes rhaid iddyn nhw wneud rhywbeth arbennig?

B: Oes wir! Cyn iddyn nhw fynd, rhaid iddyn nhw gael archwiliad.

A: Archwiliad! I be'?

B: Rhag ofn iddyn nhw fynd yn sâl ar ôl cyrraedd. Oes rhywun yn sâl ar hyn o bryd?

A: Wel, mae tipyn o boen yn ei hysgwydd gan fy merch.

B: Rhaid iddi hi gael pelydr-x.

A: Pelydr-x! Pam?

B: Rhag ofn iddi hi ffeindio bod ei hasgwrn wedi torri.

A: Be' am y plant?

B: Rhaid iddyn nhw gael pigiadau.

A: Pam?

B: Rhag ofn iddyn nhw gael teiffoid.

A: A be' am malaria?

B: Rhaid iddyn nhw gymryd tabledi am chwe wythnos.

A: Chwe wythnos?

B: Ia - ac erbyn iddyn nhw gyrraedd, mi fyddan nhw'n iawn. Ond ar ôl iddyn nhw ddŵad adre, rhaid i bawb gymryd y tabledi am fis arall.

A: O na! A be' amdana i?

B: Rhaid i chi gadw o'u tŷ nhw am fis wedyn!

Rŵan, efo partner newidiwch y ddeialog i 'Yn y filfeddygfa'. Cofiwch am y gynddaredd (*rabies*), chwain (*fleas*) ac unrhyw salwch anifeiliaid.

CERDYN POST

Darn Darllen

Darllenwch y cerdyn post efo'ch partner.

Annwyl Bawb,

Dw i'n cael amser bendigedig yma. Roedd rhaid i mi hedfan dros 7,000 o filltiroedd i gyrraedd yma ond mae'n werth pob milltir! Dydy fan hyn ddim yn lle da i lysieuwyr - mae pawb yn bwyta cig rhost a barbyciw drwy'r amser. Mi siaradais i Gymraeg ddoe, ond roedd rhaid i mi siarad Sbaeneg bob diwrnod arall. Does dim Saesneg yma o gwbl! Rhaid i mi fynd rŵan rhag ofn i mi fod yn hwyr - dw i'n cyfarfod fy ffrindiau dwyieithog newydd yn y 'Casa de Te' - ella bydd cyfle i siarad Cymraeg yno eto!

Adios amigos!

Mari

Bore da

a) Pa mor bell oedd taith Mari?

b) Be' mae hi'n feddwl o'r bwyd?

c) Be' mae Mari'n siarad fwyaf ar ei gwyliau?

ch) Pa ddwy iaith mae ffrindiau newydd Mari'n siarad?

d) Lle dach chi'n meddwl mae Mari?

Sgwrsio

i. Oes gynnoch chi deulu mawr?

ii. Dach chi'n cadw mewn cysylltiad efo llawer o'ch teulu 'estynedig', e.e. modryb, ewythr, cefnder ac ati?

iii. Pa mor aml mae eich teulu chi'n cyfarfod?

iv. Oes rhywun yn eich teulu chi'n siarad Cymraeg?

 # Geirfa

archwiliad(au)	-	*examination(s)* (meddygol)
cefnder (cefndryd)	-	*cousin(s) (male)*
cyfnither (cyfnitherod) (b)	-	*cousin(s) (female)*
chwannen (chwain) (b)	-	*flea(s)*
dramor	-	*abroad*
dwyieithog	-	*bilingual*
eli haul	-	*sun-tan lotion*
ewythr(edd)	-	*uncle(s)*
llwgu	-	*to starve*
llyfr(au) emynau	-	*hymn book(s)*
llysieuwyr	-	*vegetarians*
Manceinion	-	*Manchester*
mewn cysylltiad	-	*in touch*
milfeddygfa (b)	-	*vet's surgery*
modryb(edd) (b)	-	*aunt(s)*
pelydr(au)	-	*ray(s)*
pigiad(au)	-	*injection(s)*
tafodiaith (tafodieithoedd) (b)	-	*dialect(s)*
y gynddaredd (b)	-	*rabies*
ysgwydd(au) (b)	-	*shoulder(s)*

Cwrs Canolradd: Uned 3

Nod: Adolygu'r amodol

Ymarfer

> **A:** Mi faswn i'n mynd i Alaska, taswn i'n cael.
> **B:** Faswn i byth yn mentro mor bell!
>
> **A:** Mi faswn i'n bwyta cyri poeth, taswn i'n cael.
> **B:** Faswn i byth yn medru gwneud hynny!
>
> **A:** Mi faswn i'n ysgwyd llaw â'r Prif Weinidog.
> **B:** Faswn i byth yn gwneud y fath beth!

Efo'ch partner, trafodwch be' fasech chi'n wneud, tasech chi'n cael. Defnyddiwch yr atebion yn yr ymarfer! Dyma rai syniadau:

> rafftio ar afon fawr
> mynd i Batagonia
> prynu car ar y rhyngrwyd
> gyrru car mewn gwlad dramor

Ymarfer

> **A:** Liciet ti gael paned?
> **B:** Liciwn, wrth gwrs.
>
> **A:** Liciet ti gael te?
> **B:** Basai'n well gen i gael coffi.
> **A:** Liciet ti gael llaeth?
> **B:** Liciwn, tipyn bach.
> **A:** Liciet ti gael siwgr?
> **B:** Na liciwn, dim diolch.
> **A:** Liciet ti gael bara brith?
> **B:** Mi faswn i wrth fy modd!

Siaradwch am gael paned o de neu goffi efo'ch partner. Mi gewch chi fwyta rhywbeth gwahanol!

Mae **Mi hoffwn i...** yr un peth â **Mi liciwn i...** Defnyddiwch 'Mi hoffwn i...' y tro yma.

Efo'ch partner – siaradwch am be' liciech chi wneud:

A: Lle liciet ti fyw?
B: Mi liciwn i fyw yn Los Angeles!
A: Lle liciet ti weithio?
B: Mi liciwn i weithio yn Hollywood!
A: Be' liciet ti wneud?
B: Mi liciwn i fod yn seren ffilmiau!
A: Be' liciet ti wneud heno?
B: Mi liciwn i fynd i'r Oscars!

Gofynnwch y cwestiynau i'ch partner. Yna, siaradwch efo rhywun
arall am eich partner cyntaf, e.e. Mi liciai Mair fyw yn Los Angeles!

 Tasg: Siarad am y gwyliau perffaith

Lle hoffet ti fynd ar wyliau?	Mi hoffwn i fynd i Rufain
Be' hoffet ti weld yno?	Mi hoffwn i weld y Coliseum
Efo pwy hoffet ti fynd?	Mi hoffwn i fynd efo Sophia Loren *neu* Russell Crowe
Be' hoffet ti fwyta?	Mi hoffwn i fwyta *risotto*
Be' hoffet ti yfed?	Mi hoffwn i yfed Chianti

Efo'ch partner, trafodwch eich gwyliau perffaith chi a'i wyliau perffaith o/hi.
Meddyliwch am rywun diddorol i fynd efo chi!

Ymarfer

Be' ddylet ti wneud heddiw?	Mi ddylwn i fynd i'r llyfrgell!
Be' ddylet ti wneud heno?	Mi ddylwn i wylio S4C!
Be' ddylet ti wneud yfory?	Mi ddylwn i wneud fy ngwaith cartref!
Be' ddylet ti wneud dydd Sul?	Mi ddylwn i fynd i'r capel!

 Gofynnwch i'ch partner be' ddylai fo/hi wneud y penwythnos nesa. Wedyn,
dwedwch wrth rywun arall be' ddylai eich partner cyntaf wneud, e.e. 'Mi ddylai fo/hi...'

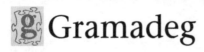 Gramadeg

Os dach chi'n defnyddio **Mi faswn i...** (neu Mi faset ti..., Mi fasai hi...), rhaid defnyddio **'n / yn** i gysylltu, e.e. Mi faswn i**'n** mynd.

Ond os dach chi'n defnyddio berfau fel **Mi hoffwn...**, **Mi liciwn...**, **Mi ddylwn...** neu **Mi allwn...** does dim **'n / yn** i gysylltu, ac mae'r weithred (*the action*) yn treiglo, e.e.

> Mi liciwn i **f**ynd
> Mi hoffwn i **f**ynd
> Mi ddylwn i **f**ynd
> Mi allwn i **f**ynd

verb *action*

Does dim ots fod llawer o bethau yn dŵad rhwng y ferf ar y dechrau a'r weithred, e.e.

Mi hoffai Mair, John, y ci mawr, y gath, pawb sy'n byw yn y tŷ, a'r wraig drws nesa **f**ynd i'r dosbarth!

Tasg: trefnu'r penwythnos

Dach chi'n trefnu eich penwythnos, ac yn mynd i sawl digwyddiad (*event*) gwahanol. Dewiswch 5 digwyddiad o'r rhestr a'u rhoi yn y golofn ganol. Yna, gofynnwch i'r dosbarth:

A: Hoffech chi ddŵad i fore coffi dydd Sadwrn?
B: Hoffwn, wrth gwrs! **neu**
B: Mi faswn i wrth fy modd, ond dw i'n mynd ar daith gerdded.

Ysgrifennwch lythrennau enw (*initials*) pawb sy'n medru dŵad yn y golofn ar y dde. Ar ôl gofyn i bawb, rhaid cyfri i weld faint o bobl sy'n dŵad efo chi i'r digwyddiadau gwahanol.

sioe ffasiynau	sêl cist car
gêm bêl-droed	chwarae dartiau yn y Llew Du
cymanfa ganu	drama Gymraeg
bore coffi	noson dawnsio llinell
taith gerdded	noson carioci

Amser	Digwyddiad	Efo pwy?
Nos Wener	chwarae dartiau yn y Llew Du	J
Dydd Sadwrn	gêm bêl-droed	J
Nos Sadwrn	cymanfa ganu	S
Dydd Sul	taith gerdded	N
Nos Sul	drama Gymraeg	MRJN

Tasg: trafod be' ddylech chi wneud

Meddyliwch am 4 peth y dylech chi wneud
yr wythnos yma. Ysgrifennwch nhw ar ddarn
o bapur. Rhowch **fo** (os dach chi'n ddyn) neu
hi (os dach chi'n ferch) ar ben y papur. Rhowch
y papur i'r tiwtor. Mi fyddwch chi'n cael papur
rhywun arall. Darllenwch o i'r dosbarth.
Rhaid i bawb ddyfalu pwy sy'n siarad!

👥 Deialog

Yn y dafarn

A: Liciet ti eistedd yma?

B: Na liciwn wir! Mae mwg ym mhobman! Oes 'na ran 'dim ysmygu'?

A: Faswn i ddim yn meddwl. O, dyma le wrth ffenest agored.
        Liciet ti eistedd wrth y ffenest?

B: Mi fasai hynny'n well, am wn i.

A: Liciet ti gael diod?

B: Liciwn wrth gwrs.

A: Be' liciet ti? Gwin coch?

B: Mi fasai'n well gen i win gwyn....

A: Gwin gwyn sych neu felys fasai'r gorau gen ti?

B: Mi liciwn i weld y rhestr gwinoedd.

A: O... Iawn, liciet ti gael creision?

B: Mi faswn i wrth fy modd.

A: Pa flas liciet ti gael? Caws a nionod?

B: Dim diolch! Plaen faswn i'n ddewis bob tro.
        (Saib) *[Pause]*

A: Does gynnyn nhw ddim rhestr o winoedd. Dim ond un gwin gwyn,
        ac un gwin coch. A does dim ond creision barbeciw.

B: Ddylen ni ddim yfed yma o gwbl! Dim dewis o win, dim dewis o greision!
        Faswn i byth yn dewis dŵad yma eto. Ty'd, rŵan!

A: Ar unwaith!

Rŵan newidiwch y ddeialog i *Chwilio am dŷ bwyta*.

Darn Darllen

Memo i Meic:

Mi fasai'r rheolwr yn hoffi cael gair efo ti ar unwaith pan wyt ti'n cyrraedd y swyddfa. Mae o'n awyddus i wybod faset ti'n fodlon rhoi rhestr o'r pethau oedd yn dy boeni di neithiwr yn y disgo staff ar bapur. Mae o'n meddwl y dylai pawb yn y swyddfa glywed be' oedd gen ti i'w ddweud.

Mi fasai ysgrifenyddes Mr Tomos yn licio i ti alw heibio i gasglu dy esgidiau hefyd. Mi wnest ti eu gadael nhw ar y llawr disgo. Mi hoffai'r rheolwr wybod hefyd a wyt ti wedi cael ateb i'r neges ffôn anfonaist ti at berchennog y cwmni am hanner awr wedi un.

Oes gen ti gopi o'r geiriau arbennig Carioci ganaist ti ar 'Calon Lân'? Mi fasai Twm o'r adran gyfrifon wrth ei fodd. Mi ddylwn i dy atgoffa bod Miss Hughes o Personél yn edrych ymlaen at fynd i weld Kylie Minogue efo ti nos Sadwrn hefyd.

Tybed ddylet ti ystyried ymddeol yn gynnar?

Cerys

 Efo partner, trafodwch y disgo staff. Mi fedrwch chi fod yn Cerys, yn Miss Hughes, yn Twm, yn unrhyw un oedd yno - cofiwch sôn am bopeth wnaeth Meic druan!

 ## Sgwrsio

i.   Tasech chi'n cael pryd o fwyd arbennig wedi ei baratoi i chi, pwy fasech chi'n ddewis i'w goginio?

ii. Pwy fasai'n cael dŵad i'r pryd arbennig? Dewiswch dri pherson dach chi'n eu nabod, a dau berson enwog!

iii. Tasech chi'n cael parti pen-blwydd i chi a'ch ffrindiau, pwy fasech chi'n ei ddewis i roi'r adloniant (*entertainment*)?

iv. Dach chi wedi gwneud ffŵl ohonoch chi'ch hun mewn parti gwaith erioed?

rŵan
nawr
Tafodiaith!

Geirfa

adloniant	-	*entertainment*
amodol	-	*conditional*
atgoffa	-	*to remind*
awyddus	-	*keen*
cyfrifon	-	*accounts*
digwyddiad(au)	-	*event(s)*
dyfalu	-	*to guess*
gweithred(oedd) (b)	-	*action(s)*
llythrennau enw	-	*initials*
mentro	-	*to venture*
perchennog	-	*owner*
rhyngrwyd	-	*internet*
ystyried	-	*to consider*

Cwrs Canolradd: Uned 4

Nod: Adolygu cymharu pethau

Ymarfer

> Mae Sweden yn oer
> Mae Alaska'n oerach
> Siberia ydy'r oera!
>
> Mae Sweden yn gymylog
> Mae Alaska'n fwy cymylog
> Siberia ydy'r mwya cymylog

Efo'ch partner, meddyliwch am frawddegau tebyg gan ddefnyddio'r geiriau yma:

poeth	(bwydydd / gwledydd)
cyflym	(ceir)
tal	(pobl)
enwog	(adeiladau)

Ymarfer

Weithiau, rhaid newid y gair drwy roi **h** i mewn. Ymarfer eto:

> Roedd John yn gynnar
> Roedd Mair yn gynharach
> Gwyn oedd y cynhara

Efo'ch partner, trafodwch pwy oedd yn gynnar i'r dosbarth heddiw! Trafodwch pa ddiwrnod oedd yn **gynnes**, yn **gynhesach**, a pha un oedd y **cynhesa** yr wythnos yma.

Rhaid newid llythyren (*letter*) weithiau:
> Mae mis Mai yn wlyb
> Mae mis Mawrth yn wlypach
> Mis Chwefror ydy'r gwlypa

Mae _____ yn bwysig

Mae _____ yn bwysicach

_____ ydy'r peth pwysica

Efo'ch partner, trafodwch be' sy'n **bwysig**, yn **bwysicach** a be' ydy'r peth **pwysica** wrth ddysgu Cymraeg.

Yma, mae'r **d** ar y diwedd yn caledu (*harden*).

Dw i'n meddwl bod Marks yn rhad
Dw i'n gwybod bod Tesco'n rhatach
Dw i'n siŵr mai Lidl ydy'r rhata

Efo'ch partner eto, trafodwch pa siopau sy'n **rhad** a pha siopau sy'n **ddrud**, yn **ddrutach** a pha un ydy'r **ddruta**.

Gramadeg

Cofiwch ddefnyddio **mai** efo'r radd eithaf (*superlative*), a pheidio defnyddio **yn / 'n**:

Dw i'n meddwl bod _____ yn ddrud

Dw i'n meddwl mai _____ ydy'r druta

Tasg - siarad am y llun

Siaradwch am y tri pherson yn y llun. Defnyddiwch y geiriau yma:

hen, ifanc, tew, tenau, del, golygus, tal, byr.

Ymarfer

---

mawr → mwy → mwya

e.e. Mae Abertawe'n fwy na Chasnewydd,
     ond Caerdydd ydy'r mwya.

---

bach → llai → lleia

e.e. Mae'r Alban yn llai na Lloegr ond
     Cymru ydy'r lleia.

Efo'ch partner, meddyliwch am frawddegau tebyg,
e.e. cymharu ceir, tai pobl, anifeiliaid, dinasoedd, planedau.

Anna   Mair   Gwyn

da	→	gwell	→	gorau

e.e. Mae'r cyri'n well na'r pysgod, ond cinio dydd Sul ydy'r gorau.

drwg / gwael	→	gwaeth	→	gwaetha

e.e. Mae'r gwin coch yn waeth na'r gwin gwyn, ond y cwrw ydy'r gwaetha.

Efo'ch partner eto, meddyliwch am frawddegau tebyg,
e.e. cymharu ceir, pobl, cantorion, actorion, rhaglenni.

Mae'r rhain hefyd yn wahanol:

hen	Mae mam yn hŷn na fi ond nain ydy'r hyna
ifanc	Mae Jac yn fengach na Jil ond John ydy'r fenga
uchel	Mae Cader Idris yn uwch na Bannau Brycheiniog ond yr Wyddfa ydy'r ucha
isel	Mae prisiau Tesco'n is na phrisiau Marks, ond prisiau Aldi ydy'r isa
hawdd	Mae Cymraeg yn haws na Saesneg, ond Ffrangeg ydy'r hawsa

Tasg - y tala a'r byrra

Ewch o amgylch y dosbarth i weld pwy sy'n dalach ac yn fyrrach na chi. Gofynnwch gwestiynau a dweud brawddegau fel hyn:

Wyt ti'n dalach na fi?
Ydw i'n dalach na ti?
Dw i'n fyrrach na ti
Rwyt ti'n fyrrach na fi

Ar ôl gorffen, mi fyddwch chi mewn rhes. Penderfynwch pwy ydy'r tala a'r byrra yn y grŵp.

Ymarfer

Os bydd y ddau beth yn gyfartal (*equal*), defnyddiwch **mor**, e.e.

Mae mis Mawrth mor **ddiflas** â mis Chwefror
Mae Ferrari mor **ddrud** â Lamborghini
Mae Wrecsam mor **fawr** â Chaer
Mae radio mor **ddiddorol** â theledu

Efo'ch partner, meddyliwch am eiriau yn lle'r rhai mewn print tywyll. Cofiwch y treiglad!

mor dda = cystal	e.e. Mae Everton cystal â Man United
mor ddrwg = cynddrwg	e.e. Mae cwrw cynddrwg â lager
mor fawr = cymaint	e.e. Mae maes awyr Caerdydd cymaint â maes awyr Bryste
mor fach = cyn lleied	e.e. Mae maes parcio Tesco cyn lleied â maes parcio Aldi
mor gyflym = cyn gynted	e.e. Mae'r car cyn gynted â'r trên

Efo'ch partner eto, meddyliwch am frawddegau tebyg i'r rhain, gan ddefnyddio
cystal, cynddrwg, cymaint, cyn lleied, cyn gynted.

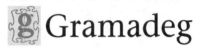

Gramadeg

Mae'n bosib y byddwch chi'n darllen neu'n clywed ffordd arall o ddweud
'Mae rhywbeth **mor**....' e.e.

Mae o mor wyn â'r eira

neu Mae o cyn wynned â'r eira

Mae o mor ddu â'r frân

neu Mae o cyn ddued â'r frân

Mi ddylech chi fod yn deall (dallt) hwn, ond dydy o ddim yn batrwm mor gyffredin â **mor**.

Tasg - cymharu pentrefi neu drefi

Fel dosbarth, meddyliwch am 10 o bentrefi neu drefi yn eich ardal chi. Mi fydd eich tiwtor
yn rhoi'r rhestr ar y bwrdd gwyn / du. (Os dach chi'n byw mewn dinas, dewiswch ardal o
fewn y ddinas). Rŵan, mewn grwpiau o 3, rhaid i chi ddewis y pentref neu'r dref sy'n ffitio
i'r gair orau, e.e. Dw i'n meddwl bod Llangrannog yn ddel, ond Aber-porth ydy'r dela!
Dw i'n meddwl bod Crymych mor brysur ag Aberteifi!

Gair	Pentre / Tre o'ch rhestr chi. Pam?
del	
prysur	
hen	
uchel	
cyfleus	
bach	
diflas	
cyfoethog	

Deialog

Gwibdaith y plant

A: Mae'n amser meddwl am drip Nadolig y plant.
Be' wnawn ni?

B: Be' am drefnu trip i weld y Pantomeim
Cymraeg yn y Theatr Newydd?

A: Mae'r sinema'n agosach.
M fasai bws i'r sinema'n rhatach...

B: Ond roedd y plant yn sâl ar y bws - wedi cael cymaint o bopcorn a phop!

A: O, doedd y sinema ddim cynddrwg â hynny - mi wnaeth y plant fwynhau gweld Sinderela...

B: ...am y degfed tro! Na, dydy ffilm ddim cystal ag actio go iawn. Dw i'n meddwl
dylen ni fynd i weld rhywbeth Cymraeg am newid - ac mae cyn lleied o'r plant
wedi bod yn y theatr!

A: Ydy'r tocynnau'n ddrutach na'r sinema?

B: Wel, mae cynnig arbennig yn y Papur Bro - dau am bris un!

A: Dau am bris un! O'r gorau, mi archeba i'r tocynnau cyn gynted â phosib!

Ar ôl darllen y ddeialog efo'ch partner, newidiwch y sefyllfa i drip siopa Nadolig am
ddiwrnod i rywle. Trafodwch lle i fynd, sut i gyrraedd yno, lle i fwyta ac yn y blaen.

Darn Darllen

Darllenwch yr hysbyseb yma, yna atebwch y cwestiynau:

Cwmni Gwyliau
Heulwen Haf

Mannau codi: Penrhyndeudraeth, Maentwrog, Trawsfynydd, Dogellau, Y Bala, Corwen, Llangollen.

Teithiau yng ngwledydd Prydain

13 Chwefror: Harrogate (5 diwrnod: £149)
17 Chwefror: Caerdydd (3 diwrnod: £120)
20 Chwefror: Ynys Mull, Oban (6 diwrnod: £199)
6 Mawrth: Bournemouth (4 diwrnod: £99)
9 Mawrth: Loch Lomond (7 diwrnod: £300)
25 Mawrth: Llundain (2 ddiwrnod: £120 - llawn yn barod)

Teithiau i Ewrop

10 Chwefror: Paris (4 diwrnod: £139)
14 Chwefror: Amsterdam (5 diwrnod: £199)
1 Mawrth: Normandi (4 diwrnod: £250)
10 Mawrth: Berlin (5 diwrnod: £175)
19 Mawrth: Bruges (3 diwrnod: £150)

I archebu lle, cysylltwch â Gwyliau Heulwen Haf, 14 Stryd Fawr, Llanaber: 01479 2293801
neu e-bostio drwy'r wefan: www.gwyliauheulwenhaf.com

1. Pa un ydy'r daith rata yn Ewrop?
2. Pa un ydy'r daith ddruta yn Ewrop?
3. Pa un ydy'r daith rata yng ngwledydd Prydain?
4. Pa un ydy'r daith ddruta yng ngwledydd Prydain?
5. Pa un ydy'r daith fyrra?
6. Pa un ydy'r daith hira?
7. Be' dach chi'n medru wneud ym Mhenrhyndeudraeth, Maentwrog, Trawsfynydd ac yn y blaen?
8. Sut mae archebu lle ar un o'r teithiau?
9. I le basech chi'n dewis mynd? Pam?
10. I le basech chi **byth** yn dewis mynd? Pam?

medru

gallu

Tafodiaith!

 # Gramadeg

Cofiwch y treigladau!

Mae treiglad meddal ar ôl **yn**, e.e. Mae Wrecsam yn **f**awr.
Mae treiglad meddal ar ôl **mor**, e.e. Mae o mor **f**awr â Dolgellau.
Mae treiglad llaes ar ôl **na**, e.e. Mae o'n fwy na **th**ŷ John.
Mae treiglad llaes ar ôl **â**, e.e. Mae o mor fawr â **ch**ar.

 ## Sgwrsio

i. Pa un ydy'r car gorau i deulu? Pa un ydy'r car gwaetha i deulu?
ii. Pa un ydy'r traeth gorau? Pa un ydy'r traeth gwaetha?
iii. Pa un ydy'r iaith fwya anodd? Pa un ydy'r iaith hawsa?
iv. Pa un ydy'r tŷ bwyta druta yn yr ardal? Pa un ydy'r rhata?

 # Geirfa

archebu lle	-	*to book a place*
cymaint â	-	*as big/many as*
cyn gynted â	-	*as fast as*
cyn lleied â	-	*as small/few as*
cynddrwg â	-	*as bad/poor as*
cynnig arbennig	-	*special offer*
cystal â	-	*as good as*

Cwrs Canolradd: Uned 5

Nod: Siarad am bobl a swyddi - defnyddio sy, oedd, fydd

 Sgwrsio

i.   Pa swyddi dach chi wedi gwneud yn y gorffennol?

ii. Oedd gynnoch chi swydd ran-amser pan oeddech chi yn yr ysgol, neu yn y coleg?

iii. Oes 'na rywun yn y dosbarth sy wedi ymddeol? ... sy'n ddi-waith?
     ... sy'n gweithio'n rhan amser? ... sy isio swydd arall?

Ymarfer

Pwy sy'n siarad?	Dyn ffenestri dwbl!
Pwy sy wrth y drws?	Rheolwr y banc!
Pwy sy wrth y car?	Warden traffig!
Pwy sy efo'r warden traffig?	Plismon!
Pwy sy'n gweithio dydd Sadwrn?	Pawb!
Pwy sy heb wneud eu gwaith cartref?	Pawb!
Pwy sy'n dŵad i'r dosbarth nesa?	Neb!

Meddyliwch am fwy o newyddion
drwg efo'ch partner!

Pwy oedd Elvis Presley?	Dyn oedd yn canu roc a rôl
Pwy oedd Bob Marley?	Dyn oedd yn arfer canu *reggae*
Pwy oedd Marilyn Monroe?	Gwraig oedd mewn ffilmiau
Pwy oedd Abraham Lincoln?	Dyn oedd yn arfer bod yn Arlywydd America
Pwy oedd Shakespeare?	Dyn oedd yn ysgrifennu dramâu

Meddyliwch am gwestiynau tebyg
i'w gofyn i'ch partner.

Tasg - diffinio swyddi

Efo partner, diffiniwch (*define*) swyddi'r bobl yma:

e.e. dyn tân = Dyn sy'n diffodd tân.

Rhai syniadau:

nyrs

meddyg

llyfrgellydd

athro

mecanic

cogydd

Ymarfer

A:	Cymru oedd yn ennill pob gêm rygbi ers talwm
B:	Lloegr sy'n ennill pob gêm rygbi rŵan
A:	Ond Cymru fydd yn ennill eto gobeithio!
A:	John oedd yn golchi'r llestri wythnos diwetha
B:	Fi sy'n golchi'r llestri rŵan
A:	A ti fydd yn eu golchi nhw wythnos nesa!
A:	John Major oedd yn arfer rhedeg y wlad
B:	Tony Blair sy'n rhedeg y wlad rŵan
A:	Gordon Brown fydd yn rhedeg y wlad cyn bo hir

Ymarfer

Efo'ch partner, ceisiwch gofio'r brawddegau yma. Ceisiwch feddwl am frawddegau tebyg.

A:	Wyt ti'n nabod rhywun sy'n byw yn Glasgow?
B:	Nac ydw, ond dw i'n nabod rhywun sy'n byw yng Nghaeredin
A:	Wyt ti'n nabod rhywun sy'n ddyn tân?
B:	Nac ydw, ond dw i'n nabod rhywun sy'n ddyn glo
A:	Wyt ti'n nabod rhywun sy'n siarad Ffrangeg?
B:	Nac ydw, ond dw i'n nabod rhywun sy'n siarad Sbaeneg
A:	Wyt ti'n nabod rhywun sy'n dŵad o America?
B:	Nac ydw, ond dw i'n nabod rhywun sy'n dŵad o Awstralia
A:	Wyt ti'n nabod rhywun fydd yn gweithio dydd Sadwrn?
B:	Nac ydw, ond dw i'n nabod rhywun fydd yn gweithio dydd Sul
A:	Wyt ti'n nabod rhywun sy wedi ennill y loteri?
B:	Ydw, dw i wedi ennill y loteri - ta ta!

ⓖ Gramadeg

Mae **a** tawel yn y patrwm yma, yn cyfleu (*convey*) *who*, neu *which*, e.e.

> Dyn **a** oedd yn canu roc a rôl
>
> Y dyn **a** wnaeth ysgrifennu Macbeth
>
> Ti **a** fydd yn golchi'r llestri

Fel arfer, dach chi ddim yn clywed yr **a** wrth i bobl siarad. Weithiau, mi fyddwch chi'n gweld yr **a** yn cael ei hysgrifennu. Dyma be' ydy achos y treiglad meddal!

> sy = rŵan   (*who is* neu *which is*)
>
> fydd = dyfodol   (*who will* neu *which will*)
>
> oedd = gorffennol   (*who was* neu *which was*)

Dw i'n nabod rhywun **sy'n** byw yn Iwerddon - dim **pwy sy'n byw**.... ✗✗

Ymarfer - y gorffennol

Mae 2 ffordd o ddweud pethau yn y gorffennol, e.e.

1.   Mi wnes i weld y ffilm   **2.**   Mi welais i'r ffilm

Mae'r un peth yn wir os dach chi isio dweud *who saw*, neu *who did*...

> Y dyn wnaeth weld y ffilm   Y dyn welodd y ffilm
>
> Y ferch wnaeth brynu'r tŷ   Y ferch brynodd y tŷ
>
> Y dyn wnaeth gael y swydd   Y dyn gaeth y swydd
>
> Y ferch wnaeth dalu am y bwyd   Y ferch dalodd am y bwyd

Tasg - y dyn... / y ddynes...

Meddyliwch am atebion i'r cwestiynau yma gan ddechrau efo **Y dyn**... neu **Y ddynes**...

e.e. Pwy oedd Shakespeare?

> Y dyn wnaeth ysgrifennu *Macbeth*   Y dyn ysgrifennodd *Macbeth*

Pwy oedd Agatha Christie?

_____   _____

Pwy oedd Leonardo da Vinci?

_____   _____

Pwy oedd Neil Armstrong?

_____   _____

Pwy oedd Florence Nightingale?

_____   _____

Pwy oedd Mark Chapman?

_____   _____

Tasg - holiadur

Ewch o amgylch y dosbarth i weld be' oedd pawb yn ei fwyta ddoe a be' fydd pawb yn ei fwyta yfory, e.e.

> **A:** Be' oedd i swper neithiwr?
> **B:** Pysgod oedd i swper neithiwr.
> **A:** Pasta fydd i ginio fory?
> **B:** Naci, cyri fydd i ginio fory!

Enw	Be' oedd i swper neithiwr?	Be' fydd i ginio yfory?
1.		
2.		
3.		
4.		
5.		

Deialog

A: Bore da. Swyddfa Tai Tre-braf.

B: Pwy sy'n siarad, os gwelwch yn dda?

A: Mair Hughes sy'n siarad, Prif Swyddog Rhentu Tai Tre-braf. Sut fedra i eich helpu chi?

B: Dw i'n chwilio am dŷ sy ar gael i'w rentu dros yr haf.

A: Wrth gwrs, mae gynnon ni lawer iawn o dai bendigedig. Dach chi'n chwilio am rywbeth arbennig?

B: Wel, mae'n rhaid i ni gael tŷ sy'n agos at draeth – mae angen lle i redeg ar dywod. Ffitrwydd sy'n bwysig i ni dros yr haf.

A: Dim problem - mae gynnon ni dai sy'n edrych dros draeth Rhyl.

B: Ydy o'n lle sy'n dawel dros yr haf? Dan ni ddim isio lle sy'n rhy brysur.

A: Pentref bach tawel iawn ydy'r Rhyl.

B: Da iawn wir. Ond dan ni angen lle sy'n agos i siop y pentref.

A: Mae 'na dai sy'n agos at fwy nag un siop, a dweud y gwir.

B: Oes 'na siop sy'n gwerthu bwyd organig? Mae bwyta'n iach yn bwysig iawn i ni.

A: Wel ... mae 'na siop yn agos iawn sy'n gwerthu candi fflos, roc... o, dw i'n siŵr mai nhw sy'n gwerthu'r bwyd organig gorau yn yr ardal.

B: Oes gynnoch chi dŷ efo gardd fawr?

A: Wrth gwrs, ac mae 'na un sy drws nesa i gae pêl-droed - weithiau mae plant o'r maes carafannau sy'n defnyddio'r cae, ond mae o'n dawel iawn.

B: Un peth arall - oes gynnoch chi rywun sy'n medru aros yn y tŷ i goginio a glanhau dros yr haf?

A: Dw i ddim yn nabod neb sy'n barod i wneud hynny.

B: Mi wnawn ni dalu mwy am y tŷ.

A: Faint yn fwy sy'n bosibl?

B: Deg mil o bunnau, os oes 'na rywun sy'n gogydd ardderchog.

A: Arhoswch funud - pwy sy'n siarad?

B: Ysgrifenyddes bersonol Ryan Giggs sy'n siarad.

[Saib]

A: Fel mae'n digwydd, dim fi sy'n gweithio yn y swyddfa dros yr haf. Dw i'n gogydd gwych! Mi wna i anfon y manylion atoch chi ac mi fydda i yn y tŷ efo'r goriad.

B: Dach chi'n siŵr, Miss Hughes?

A: Ydw wir! Hwyl am y tro!

Darllenwch y ddeialog eto efo'ch partner gan newid y manylion.

📖 Darn Darllen

Darllenwch y sgwrs yma rhwng dau ymwelydd â Phortmeirion. Cyfrwch faint o weithiau mae'r patrwm **oedd / sy / fydd** yn digwydd yn y darn. Wedyn atebwch y cwestiynau.

Alun: Dyma le anhygoel - mae o'n fy atgoffa o rywle. Lle yn y byd sy'n debyg i fan hyn?

Beti: Dw i'n meddwl mai'r Eidal sy'n debyg. Mae o mor lliwgar!

Alun: Pwy sy'n gweithio yma 'ta?

Beti: Pobl leol sy'n gweithio yma fwyaf - ac un peth diddorol ydy bod pawb bron sy'n gweithio yn y gwesty a'r pentref yn siarad Cymraeg.

Alun: Pwy sy'n rhedeg y lle 'ta?

Beti: Wel, Robin Llywelyn ydy'r enw ar y daflen yma.

Alun:	Dw i'n nabod yr enw yna. Fo sy'n ysgrifennu nofelau Cymraeg?
Beti:	Ia, dw i'n meddwl mai fo sy wedi ennill llawer o wobrau yn yr Eisteddfod Genedlaethol.
Alun:	Be' sy gynno fo i wneud efo'r lle 'ta?
Beti:	Dw i'n meddwl mai fo sy'n rheoli'r Cwmni.
Alun:	Rheoli, ysgrifennu... fo sy'n gwneud y llestri blodau hefyd?
Beti:	Dw i'n meddwl mai rhywun arall sy'n gwneud hynny, ond dw i'n gwybod mai ei daid o gynlluniodd y lle.
Alun:	Ei daid o? Fo oedd yn actio yn *The Prisoner* ers talwm?
Beti:	Naci - Syr Clough Williams-Ellis oedd pensaer Portmeirion, nid Patrick McGoohan.
Alun:	Iawn - be' sy i fwyta yma?
Beti:	Caffi, hufen iâ, Bistro Castell Deudraeth - a'r Gwesty... faint o arian sy gen ti?
Alun:	Gawn ni weld be' sy ar fwydlen y gwesty?
Beti:	Dw i'n gwybod mai bwyd lleol sy'n cael ei goginio fel arfer yma - sy'n syniad da, tydy?
Alun:	O na, dw i ddim isio bwyta Bara Brith... edrych Beti! Bwydlen hollol ddwyieithog! Reit, ti sy'n gwybod popeth am y lle 'ma...be' ydy 'merllys'?
Beti:	Dim syniad...o, 'asparagus' sy ar yr ochr Saesneg! Hei, be' am 'pigoglys'?
Alun:	'Spinach!'
Beti:	Pwy sy wedi sbïo...?
Alun:	Dyma le fydd yn berffaith ar gyfer ein cinio diwedd tymor - ti sy'n mynd i ddweud wrth y tiwtor?

Cwestiynau trafod

i. Pam mae Portmeirion yn debyg i'r Eidal, yn ôl Beti?
ii. Be' sy'n wahanol am y staff?
iii. Be' ydy swydd Robin Llywelyn?
iv. Pam mae o'n enwog?
v. Sut roedd Syr Clough Williams-Ellis yn perthyn iddo fo?
vi. Be' ydy'r cysylltiad rhwng Syr Clough Williams-Ellis â'r pentre?
vii. Be' sy'n arbennig am y bwyd?
viii. Be' sy'n arbennig am y fwydlen?
ix. Dach chi wedi bod ym Mhortmeirion erioed?
x. Fasech chi'n mynd i Bortmeirion ar wyliau?

Gwrando

Atebwch y cwestiynau yma. Mi fydd eich tiwtor yn chwarae'r darn dair gwaith.

1. Pam nad oedd Marged wedi gweld *Big Brother*?   *had not*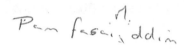
   Pam doedd M. ddim wedi gweld ...
2. Pryd roedd *Big Brother* yn gorffen?
3. Lle mae Nia'n cael gwybod be' sy'n digwydd yn y gyfres?   *series*
4. O le yng Nghymru mae'r ddau sy yn y tŷ yn dŵad?

5. Pam dach chi ddim yn clywed Cymraeg ar y rhaglen?
6. Faint o bobl oedd isio bod ar *BB*?
7. Pam na fasai Marged yn mynd ar y rhaglen?   *Pam fasai M. ddim*
8. Pam na fasai Dewi'n mynd ar y rhaglen?

 ## Sgwrsio

i. Dach chi'n edrych ar *Big Brother*?
ii. Fasech chi'n mynd ar y rhaglen?

 ## Sgwrsio

Pa fath o berson sy'n addas i wneud y swyddi
yma, e.e. person sy'n hoffi pobl, person
sy'n medru siarad yn dda....

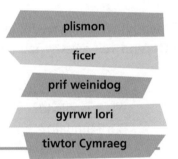

plismon

ficer

prif weinidog

gyrrwr lori

tiwtor Cymraeg

Geirfa

a dweud y gwir -	*to tell the truth, actually*
anhygoel -	*incredible*
atgoffa -	*to remind*
cogydd(ion) -	*cook(s)*
cyfres(i) (b) -	*series*
cynllunio -	*to plan*
diffinio -	*to define*
diffodd -	*to put out, to extinguish*
dwyieithog -	*bilingual*
ers talwm -	*a long time ago, once upon a time*
ffenestri dwbl -	*double glazing*
gwobr(au) (b) -	*prize(s)*
Hwyl am y tro -	*Goodbye for now*
lliwgar -	*colourful*
manylion -	*details*
merllys -	*asparagus*
pawb bron -	*almost everyone*
pensaer (penseiri) -	*architect(s)*
pigoglys -	*spinach*
saib (seibiau) -	*pause(s)*
sbïo -	*to peep*
taflen(ni) (b) -	*leaflet(s)*

Cwrs Canolradd: Uned 6

Nod: Pwysleisio pethau - ia / naci

Ymarfer

Lle wyt ti'n gweithio?	Mewn ysgol
Yn Ysgol y Llan?	Naci, yn Ysgol y Parc
Athro wyt ti?	Naci, gofalwr dw i

Meddyliwch am swyddi gwahanol.
Gofynnwch gwestiynau fel hyn i'ch partner. Atebwch **Naci**...

Lle roeddet ti'n arfer byw?	Yn Lloegr
Yn y Gogledd?	Naci, yn y De
Yn Llundain?	Naci, ym Mryste
Ond yn Llundain gest ti dy eni?	Ia, yn Brixton
Gyrrwr bws oedd dy dad di?	Naci wir, gyrrwr tacsi oedd o

Gofynnwch gwestiynau fel hyn i'ch gilydd. Atebwch **Naci**...

Lle est ti i siopa ddoe?	I Landudno
Cot wnest ti brynu?	Naci, siwt
Un ddu oedd hi?	Naci, un las
Yn Marks wnest ti'i phrynu hi?	Naci, yn Next

Rŵan, ewch i siopa am anrheg i un o'r dosbarth efo'ch
partner. Efo'ch partner, siaradwch am le arall a siop arall.

Gramadeg

Os dach chi'n clywed cwestiwn sy'n dechrau efo'r gair pwysicaf,
rhaid i chi ateb **Ia** neu **Naci**.

Os dach chi'n ateb **Ia** does dim rhaid i chi ddweud mwy!

Does dim ots os dach chi'n siarad yn y gorffennol, y presennol neu'r dyfodol!

Tasg - siarad am y gwyliau diwetha

Mewn grwpiau o 3, gofynnwch y cwestiynau yma am eich gwyliau diwetha.

I _____ est ti ar wyliau?	_____ wnest ti fwya?
Ym mis _____ ti?	_____ oedd y tywydd fel arfer?
_____ wnest ti fwyta fwya?	_____ oedd y peth gwaetha ar y gwyliau?
_____ wnest ti yfed fwya?	I _____ ei di y flwyddyn nesaf?

Ymarfer

Mae hi'n byw yn Aber, tydy.	Ydy
Yn Aber mae hi'n byw, yntê.	Ia
Mae o'n gweithio yn Tesco, tydy.	Ydy
Yn Tesco mae o'n gweithio, yntê.	Ia
Mae hi'n siarad Sbaeneg, tydy.	Ydy
Sbaeneg mae hi'n siarad, yntê.	Ia
Maen nhw'n dŵad o Aberteifi, tydyn.	Ydyn
O Aberteifi maen nhw'n dŵad, yntê.	Ia

Tasg - nabod y person enwog

Meddyliwch am berson enwog. Mi fydd eich partner yn
dyfalu pwy ydy'r person drwy ofyn cwestiynau fel hyn:

Dyn wyt ti?

O America wyt ti'n dŵad?

Yn Llundain wyt ti'n byw?

Ysgrifennu llyfrau wyt ti?

Yn y byd chwaraeon wyt ti?

Deialog

Sgwrs mewn Cwrs Cymraeg yn Aberystwyth.

A: Dw i'n nabod eich wyneb chi o rywle.

B: Dw i wedi eich gweld chi o'r blaen hefyd.

A: Actor/Actores dach chi?

B: Naci, canwr/cantores dw i.

A: O. Canu opera dach chi?

B: Naci, canu caneuon poblogaidd dw i.
A be' amdanoch chi? Model dach chi?

A: Naci wir, actor/actores dw i.

B: O. Yn Aberystwyth dach chi'n byw?

A: Naci, yn Efrog Newydd dw i'n byw. Yma dach chi'n byw?

B: Naci, yn Los Angeles dw i'n byw.

A: O America dach chi'n dŵad yn wreiddiol?

B: Naci, o Gymru. O America dach chi'n dŵad yn wreiddiol?

A: Naci, o Gymru dw i'n dŵad hefyd. Dysgu Cymraeg dach chi yma?

B: Naci, mi wnes i ddysgu Cymraeg ddwy flynedd yn ôl. Gwneud y Cabaret
dw i yma. Dysgu Cymraeg dach chi?

A: Ia. Dw i isio actio ar *Pobol y Cwm*.

B: O. Pob lwc!

A: Diolch. Hwyl rŵan.

B: Hwyl! Mi wela i chi yn Heathrow!

Cwestiwn: Pwy dach chi'n meddwl ydy A a phwy ydy B?

📖 Darn Darllen

Darllenwch hanes Bryn Terfel ac atebwch y cwestiynau.

Canwr Opera byd-enwog ydy Bryn Terfel. Cymro Cymraeg ydy o.
Ym Mhant-glas ger Porthmadog gaeth o ei eni. Yn yr ysgol gynradd dechreuodd o ganu,
ac yn Eisteddfod yr Urdd gaeth o lawer o brofiad o ganu o flaen cynulleidfa. I goleg cerdd
yn Llundain aeth o i ddysgu canu Opera. Bas-bariton ydy ei lais o. Mozart ydy ei hoff
gyfansoddwr o. Manchester United ydy ei hoff dîm pêl-droed o. Tiger Woods ydy ei arwr o.
Lesley ydy enw ei wraig o ac o Wynedd mae hi hefyd yn dŵad yn wreiddiol. Tri mab sy gynnyn
nhw ac i ysgol leol mae'r plant yn mynd. Bryn Terfel ddechreuodd ŵyl y Faenol sy'n digwydd
bob mis Awst ger Caernarfon. Pedair noson o gyngherddau sy 'na - un noson Opera, un noson
o Bop Cymraeg, un cyngerdd o gerddoriaeth y Sioeau Cerdd (yn Saesneg) ac un noson o *jazz*.
Ffrindiau enwog Bryn sy'n canu yn y cyngherddau. Ewch i'w clywed nhw os medrwch chi!

Cwestiynau trafod

i. Canu pop mae Bryn Terfel fel arfer?
ii. Wedi dysgu Cymraeg mae o?
iii. Yn yr Eisteddfod Genedlaethol oedd o'n canu gyntaf?
iv. I Gaerdydd aeth o i'r coleg?
v. Tenor ydy o?
vi. Handel ydy ei hoff gyfansoddwr o?
vii. Chelsea mae o'n eu cefnogi?
viii. Jenny ydy enw ei wraig o?
ix. Dau o blant sy gynnyn nhw?
x. Yn Llundain mae o'n byw rŵan?

Ella

Falle

Tafodiaith!

Tasg - smalio bod yn Bryn

Efo'ch partner, meddyliwch am gwestiynau i'w gofyn i Bryn Terfel, ar sail y darn darllen. Yna, mi fydd un person yn y dosbarth yn cael cyfle i ateb, fel Bryn ei hun!

Tasg - ysgrifennu

Rŵan ysgrifennwch ddarn tebyg yn dweud hanes Catherine Zeta Jones. Dyma rai ffeithiau amdani i'ch helpu.

geni	- Abertawe
dŵad yn enwog	- *Darling Buds of May*
actio ei thad hi	- David Jason
byw rŵan	- America a Mallorca
gŵr	- Michael Douglas
tad ei gŵr hi	- Kirk Douglas
gwaith ei gŵr hi	- Seren ffilmiau
mab	- Dylan
enwi ar ôl	- Dylan Thomas

Sgwrsio

i. Faint o Gymry enwog dach chi'n gallu meddwl amdanyn nhw?
ii. Ydy hi'n bwysig bod y Cymry'n byw yng Nghymru?
iii. Be' sy'n gwneud rhywun yn Gymro neu'n Gymraes? Pa mor bwysig ydy'r pethau yma?

- Cael eich geni yng Nghymru
- Bod y teulu'n dŵad o Gymru
- Medru canu
- Siarad efo acen Gymreig
- Cefnogi timau chwaraeon Cymru
- Siarad Cymraeg

Geirfa

arwr (arwyr)	– *hero(es)*
cân boblogaidd (caneuon poblogaidd) (b)	– *popular song(s)*
cefnogi	– *to support*
coleg cerdd	– *music college, school of music*
cyfansoddwr (-wyr)	– *composer(s)*
cyfle	– *opportunity*
cyngerdd (cyngherddau) (b/g)	– *concert(s)*
cynulleidfa (-faoedd) (b)	– *audience(s)*
gofalwr (gofalwyr)	– *caretaker(s)*
gŵyl (gwyliau) (b)	– *festival(s)*
profiad(au)	– *experience(s)*
sioe gerdd (sioeau cerdd) (b)	– *musical(s)*

Cwrs Canolradd: Uned 7

Ymarfer

Mi ffoniodd dy ferch di	Be' ddwedodd hi?
Mi ddwedodd hi bod hi'n aros yn yr ysgol tan 6	Da iawn!
Mi ffoniodd dy ŵr di	Be' ddwedodd o?
Mi ddwedodd o fod o'n mynd i chwarae golff	I'r dim!
Mi ffoniodd dy wraig di	Be' ddwedodd hi?
Mi ddwedodd hi bod hi'n gweithio'n hwyr heno	Dyna drueni!
Mi ffoniodd dy fam a dy dad di	Be' ddwedon nhw?
Mi ddwedon nhw bod nhw'n mynd i Tenerife am fis	Wir!

Tasg - cysylltu brawddegau

Gofynnwch i'ch partner: Be' ddwedodd o/hi? Ceisiwch gofio'r atebion!

Mi ffoniodd y mecanig	Mi ddwedodd hi fod gan Rhiannon ymarfer heno
Mi ffoniodd y milfeddyg	Mi ddwedodd o fod problem efo'r sbwriel
Mi ffoniodd pennaeth yr ysgol	Mi ddwedon nhw fod isio rhywun i siarad ar y radio
Mi ffoniodd rheolwr y banc	Mi ddwedodd hi fod bwrdd ar gael heno
Mi ffoniodd rhywun o'r cyngor	Mi ddwedodd o fod y car yn barod
Mi ffoniodd y BBC	Mi ddwedodd o fod angen rhywun i chwarae dydd Sul
Mi ffoniodd rheolwr y tîm	Mi ddwedodd hi fod y gath yn well
Mi ffoniodd rhywun o'r tŷ bwyta	Mi ddwedodd o fod rhaid i chi anfon siec

Deialog

A: Ro'n i ar ben fy hun yn y dafarn neithiwr.

B: Mi ddwedais i mod i'n mynd i'r dosbarth Salsa.

A: Mi faswn i wedi dŵad.

B: Mi ddwedaist ti fod ti wedi blino.

A: Pam ddaeth John efo ti?

B: Mi ddwedodd o fod o isio cadw'n heini.

A: A be' am Jean?

B: Mi ddwedodd hi bod hi'n hoffi dawnsio.

A: Doeddech chi ddim yn y tŷ cyri chwaith.

B: Mi ddwedon ni bod ni'n mynd am bryd tapas.

A: Mi ddwedoch chi bod chi'n mynd am fwyd fel arfer!

B: Wel, syniad John a Jean oedd bwyd Sbaeneg. Mi ddwedon nhw bod nhw isio sangria ar ôl y salsa.

Rŵan newidiwch y llefydd, y bobl a'r rhesymau dros beidio cyfarfod.

Ymarfer

> Rhaid mod i wedi dweud wrthoch chi
> Rhaid fod o wedi cael ateb erbyn hyn
> Rhaid bod hi wedi anfon rhywbeth
> Rhaid bod gynnyn nhw ddigon o bres
>
> Rhaid bod pawb yn gwybod
> Rhaid bod y plant yn darllen
> Rhaid bod problem efo'r ffôn
>
> Rhaid mai John sy'n mynd
> Rhaid mai nhw sy'n talu
> Rhaid mai fo ydy'r tiwtor
> Rhaid mai hi ydy'r rheolwr

Tasg - esboniadau

Meddyliwch am esboniadau (*explanations*) i'r sefyllfaoedd (*situations*) gan ddechrau efo **Rhaid bod...** neu **Rhaid mai...**

e.e.   Mae John yn prynu llawer o bethau drud: Rhaid bod gynno fo ddigon o bres
                                                  / Rhaid mai chwaraewr pêl-droed ydy o

a. Mae Mari wedi gadael ei swydd

b. Does dim gwin ar ôl yn yr oergell

c. Mae'r plant yn sâl

ch. Mi gaeth Dewi ei arestio ddoe

d. Dydy Sandra ddim yn dallt Huw yn siarad

dd. Dw i ddim yn hoffi darllen

e. Chwaer Elin sy'n byw yn Aberystwyth

f. *Rottweiler* sy gan Elwyn, nid sbaniel

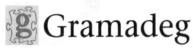 Gramadeg

Wrth siarad, mae pobl yn dweud **mod i**, **fod ti**, **fod o** ac yn y blaen.
Mae'n bosib byddwch chi'n gweld y ffurfiau llawn - dyma nhw:

fy mod i	e.e. Mi ddwedais i fy mod i'n mynd adre	*I said that I was going home*
dy fod ti	e.e. Mi ddwedaist ti dy fod ti'n mynd adre	*You said that you were...*
ei fod o	e.e. Mi ddwedodd o ei fod o'n mynd adre	*He said that he was...*
ei bod hi	e.e. Mi ddwedodd hi ei bod hi'n mynd adre	*She said that she was...*
ein bod ni	e.e. Mi ddwedon ni ein bod ni'n mynd adre	*We said that we were...*
eich bod chi	e.e. Mi ddwedoch chi eich bod chi'n mynd adre	*You said that you were...*
eu bod nhw	e.e. Mi ddwedon nhw eu bod nhw'n mynd adre	*They said that they* were...

Tasg - be' ddwedodd eich partner
Gofynnwch i rywun arall yn y dosbarth:

Be' oeddet ti'n wneud ddeg mlynedd yn ôl?
    Ro'n i'n _____
Lle oeddet ti'n byw ddeg mlynedd yn ôl?
Be' oeddet ti'n wneud yn dy amser hamdden ddeg mlynedd yn ôl?

Be' oeddet ti'n wneud ugain mlynedd yn ôl?
Lle oeddet ti'n byw ugain mlynedd yn ôl?
Be' oeddet ti'n wneud yn dy amser hamdden ugain mlynedd yn ôl?

	Deg mlynedd yn ôl	Ugain mlynedd yn ôl
Gwneud		
Byw		
Amser hamdden		

Rŵan newidiwch eich partner. Dwedwch wrth eich partner newydd be' ddwedodd eich
partner cyntaf, e.e. Mi ddwedodd Mark fod o'n gweithio yn Llundain ddeg mlynedd yn ôl.

Deialog

Pen-blwydd nain yn naw deg

A: Sut mae'r trefniadau'n mynd ar gyfer parti mam?

B: Mi ddwedais i baswn i'n trefnu'r pryd.

A: Ddwedaist ti? Chwarae teg i ti.

B: Dw i wedi archebu 'stafell yng Nghastell Deudraeth, Portmeirion.

A: Bendigedig! Mi ddwedodd Nerys basai hi'n trefnu'r blodau.

B: Wyt ti wedi siarad efo Gareth eto?

A: Mi ddwedodd o basai fo'n medru dŵad yn ôl o Awstralia am bythefnos.

B: Be' am ei wraig newydd o?

A: Mi ddwedodd o bod hi'n dŵad hefyd.

B: Iawn. Mi ddwedon ni y basen ni'n prynu'r gacen pen-blwydd. Ddwedoch chi basech chi'n casglu'r plât arian?

A: Do. Be' am y plant i gyd?

B: Mi ddwedon nhw y basen nhw i gyd yn dŵad adre o'r colegau ond... gawn ni weld!

A: Mi liciai mam weld yr wyrion i gyd efo'i gilydd, dw i'n siŵr.

B: Cofia rŵan - dim gair wrth mam!

[ffôn yn canu]

B: Mam oedd yna. Mae hi wedi bod yn casglu ei phasbort hi - mae hi'n mynd i Las Vegas i ddathlu ei phen-blwydd!

Darllenwch y darn efo'ch partner, wedyn newidiwch y darn i sôn am drefnu priodas.

Darn Darllen

Darllenwch y darn yma, ac atebwch y cwestiynau sy'n dilyn.

Diwrnod y Llyfr

Addasiad o erthygl yn
Y Cymro, 1 Mawrth 2006

Mae Gethin Jones, y Cymro Cymraeg sy'n cyflwyno'r rhaglen i blant, *Blue Peter* newydd ddechrau ar dasg gyffrous arall, sef hybu Diwrnod y Llyfr yn ysgolion Cymru.

Mae Gethin, sy'n dod yn wreiddiol o Gaerdydd, i'w weld ar boster newydd a bydd y poster yn cael ei anfon dros y wlad i dynnu sylw at y diwrnod.

Mae gan Gethin radd mewn economeg a daearyddiaeth, felly mae o'n hoffi darllen. Ond hefyd, mae o wrth ei fodd efo rygbi, pêl-droed, tennis a golff.

Gethin ydy'r drydedd seren i helpu ymgyrch Diwrnod y Llyfr Cymru. Mae'r Cyngor Llyfrau'n cael help pobl enwog i wneud darllen yn fwy poblogaidd. Maen nhw'n gobeithio bydd llawer o bobl yn dilyn eu harwyr ac yn darllen rhagor o lyfrau.

Cwestiynau

Ceisiwch ateb y cwestiynau heb edrych yn ôl ar y darn.

1. Be' ydy gwaith Gethin Jones?
2. O le mae o'n dŵad yn wreiddiol?
3. I le bydd y poster yn mynd?
4. Be' ydy diddordebau Gethin, ar wahân i ddarllen?
5. Faint o bobl eraill sy wedi helpu'r ymgyrch?
6. Be' mae'r Cyngor Llyfrau isio?

 ### Sgwrsio

1. Faint dach chi'n ddarllen?
2. Pryd dach chi'n darllen fel arfer?
3. Dach chi'n darllen ffuglen (*fiction*) neu bethau ffeithiol (*factual*)?
4. Oeddech chi'n darllen llawer pan oeddech chi'n blentyn? Be'?
5. Dach chi'n darllen papur newydd? Pa un?

Geirfa

arwr (arwyr)	-	*hero(es)*
cadw'n heini	-	*to keep fit*
cyffrous	-	*exciting*
cyflwyno	-	*to present*
daearyddiaeth (b)	-	*geography*
economeg (b)	-	*economics*
erthygl(au) (b)	-	*article(s)*
esboniad(au)	-	*explanation(s)*
ffeithiol	-	*factual*
ffuglen (b)	-	*fiction*
gradd(au) (b)	-	*degree(s)*
i'r dim	-	*just the job*
oergell(oedd) (b)	-	*fridge(s)*
poblogaidd	-	*popular*
rhagor	-	*more*
sbwriel	-	*rubbish, refuse*

sefyllfa(oedd) (b)	-	*situation(s)*
seren (sêr) (b)	-	*star(s)*
tynnu sylw	-	*to draw attention*
wŷr (wyrion)	-	*grandson (grandsons, grandchildren)*
ymgyrch(oedd) (b)	-	*campaign(s)*

Cwrs Canolradd: Uned 8

Nod: Siarad am y dosbarth a'r tŷ / defnyddio 'ohonon ni'

Ymarfer

Faint o'r dosbarth sy'n gyrru car?	Saith o'r dosbarth *neu* Saith ohonon ni
Faint o'r dosbarth sy'n byw mewn dinas?	Dau ohonon ni
Faint o'r dosbarth sy'n byw mewn tref?	Tri ohonon ni
Faint o'r dosbarth sy'n byw mewn pentref?	Un ohonon ni
Faint o'r dosbarth sy'n byw yn y wlad?	Dim un ohonon ni

Gofynnwch gwestiwn tebyg i'r dosbarth, a gweld be' ydy'r ateb.

Faint ohonoch chi sy'n cael bws i'r dosbarth?
Faint ohonoch chi sy'n cerdded i'r dosbarth?
Faint ohonoch chi sy'n gyrru i'r dosbarth?
Faint ohonoch chi sy'n cael trên i'r dosbarth?

Meddyliwch am siopau'r ardal - gofynnwch i'r dosbarth:
Faint ohonoch chi sy'n siopa yn _____?

Faint o'ch ffrindiau chi sy'n siarad Cymraeg?	Rhai ohonyn nhw
Faint o'ch teulu chi sy'n siarad Cymraeg?	Ychydig ohonyn nhw
Faint o bobl yr ardal sy'n siarad Cymraeg?	Llawer ohonyn nhw

Gofynnwch y cwestiynau i'ch partner.

😊😊 Tasg - holiadur

Gofynnwch i bawb yn y dosbarth.
Rhowch eich cwestiynau eich hun yn lle 4. a 5.

Rŵan rhaid adrodd yn ôl, e.e. Mae pedwar
ohonon ni wedi bod yn America; Mi gaeth
wyth ohonon ni rywbeth i fwyta y bore 'ma.

	Cwestiwn	Nifer
1.	Wyt ti wedi bod yn America erioed?	
2.	Gest ti rywbeth i fwyta i frecwast heddiw?	
3.	Oes gen ti deledu lloeren?	
4.		
5.		

Ymarfer

Mi driodd Huw siarad efo'r bos.	Chymerodd o ddim sylw ohono fo?
Naddo! Felly, mi driodd Siân siarad efo fo.	Chymerodd o ddim sylw ohoni hi?
Naddo! Felly, mi driais i siarad efo fo.	Chymerodd o ddim sylw ohonot ti?
Naddo! Felly, wnei di drio siarad efo fo?	Chymerith o ddim sylw ohona i!

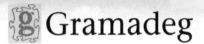Gramadeg

Dyma sut mae patrwm **o** yn edrych:

o'r plant
ohona i
ohonot ti
ohono fo
ohoni hi
ohonon ni
ohonoch chi
ohonyn nhw

Tasg - siarad am yr eisteddfod

Dach chi i gyd wedi bod yn cystadlu yn Eisteddfod y Dysgwyr!
Siaradwch efo'ch partner am y bobl eraill yn y dosbarth, a chi eich hun, e.e.

A: Roedd Catrin yn canu yn yr eisteddfod.
B: Be' oeddet ti'n feddwl ohoni hi?
A: Ro'n i'n meddwl bod hi'n wych!
B: Roedd Colin yn adrodd.
A: Be' oeddet ti'n feddwl ohono fo?
B: Ro'n i'n meddwl fod o'n ofnadwy!
A: Ro'n i'n actio mewn sgets. Be' oeddet ti'n feddwl ohona i?
B: Ro'n i'n meddwl fod ti'n ddoniol!

Newidiwch yr enwau wrth ddarllen y dasg, e.e.

Cefin - canu mewn côr - da
Caren - dawnsio - anobeithiol

Ymarfer

Mi ges i'r swydd	* Ges i mo'r swydd
Mi brynodd hi'r siwmper	Phrynodd hi mo'r siwmper
Mi dalodd hi'r bil	Thalodd hi mo'r bil
Mi welodd o'r gêm	Welodd o mo'r gêm
Mi fwytodd o'r gacen	Fwytodd o mo'r gacen
	* Ches i mo'r swydd (yn ffurfiol) *formal*
Mi welais i chi	Welais i mohonoch chi
Mi dalais i hi	Thalais i mohoni hi
Mi wnes i fo	Wnes i mohono fo
Mi glywais i ti	Chlywais i mohonot ti
Mi anghofiais i nhw	Anghofiais i mohonyn nhw

g Gramadeg

I wneud brawddeg negyddol rhaid rhoi **mo** (**ddim** + **o**) mewn rhai patrymau. O flaen y
gwrthrych penodol (*specific/definite object*) mae hyn yn digwydd, e.e. Welais i mo'r ffilm.
(Y ffilm ydy'r gwrthrych penodol yma).

Mi welais i'r ffilm —— Welais i mo'r ffilm   (*I didn't see* **the** *film*)

                 (< Welais i ddim o'r ffilm)   (*I didn't see any of the film*)

Os ydy'r gwrthrych yn amhenodol (*non-specific/indefinite*), yna does dim **o**, e.e.

          Welais i ddim ffilm   (*I didn't see a film*)

Os ydy'r gwrthrych yn rhagenw (*pronoun*), e.e. fi, ti, fo, hi, ni, chi, nhw, rhaid newid yr **o**, e.e.

Mi welais i John	—— Welais i mohono fo	(< Welais i ddim ohono fo)
Mi welais i Mair	—— Welais i mohoni hi	
Mi welais i chi	—— Welais i mohonoch chi	
Mi welais i nhw	—— Welais i mohonyn nhw	

Pan dach chi'n rhoi **ddim** o flaen **o**, mae'n cywasgu i **mo**, e.e.
Welais i dd**im o**hono fo = Welais i mohono fo.

🌚 Deialog

Mrs Jones:	Helo - Llandre 373.
Mr Huws:	Mrs Jones? John Huws o'r siop lyfrau sy 'ma.
Mrs Jones:	Mr Huws! Sut fedra i'ch helpu chi?
Mr Huws:	Mae'n ddrwg gen i eich ffonio chi fel hyn - ond dach chi ddim wedi talu am y llyfrau newydd.
Mrs Jones:	Pa lyfrau?
Mr Huws:	Gaethoch chi mo'r llyfrau canu?
Mrs Jones:	Llyfrau canu? Naddo wir. Archebais i mohonyn nhw.
Mr Huws:	Mae'n ddrwg gen i, ond mae deuddeg llyfr yma yn eich enw chi, 'Caneuon Rygbi Cymru'.
Mrs Jones:	Caneuon Rygbi! Chlywais i erioed y fath beth! Mae'n gas gen i rygbi. Dach chi'n siŵr mai yn fy enw i mae'r archeb?
Mr Huws:	Wel, mae'n dweud 'Jones Tŷ Mawr'. Mae'r parsel yma ers amser. Mi ddwedodd eich gŵr y basai rhywun yn dŵad i dalu amdanyn nhw.
Mrs Jones:	Dw i ddim isio un llyfr o ganeuon rygbi heb sôn am ddeuddeg.
Mr Huws:	Mae llyfr arall iddo fo yma hefyd: 'Tafarnau Caeredin'.
Mrs Jones:	Caeredin? Dw i'n dechrau dallt rŵan. Dw i'n meddwl bydd rhaid i mi gael gair efo fy ngŵr i. Gyda llaw, oes gynnoch chi gopi o 'A to Z' Llundain?
Mr Huws:	Mi fedra i archebu un i chi. Pryd dach chi isio fo?
Mrs Jones:	Erbyn penwythnos gêm rygbi'r Alban, fel mae'n digwydd. Ches i ddim amser i ddweud wrth fy ngŵr mod i'n mynd i ffwrdd am noson efo ffrindiau.
Mr Huws:	Dw i'n dallt.
Mrs Jones:	Mi fydd y babi'n mwynhau penwythnos adre efo'r gŵr...

Efo'ch partner, rhowch y stori yma yn y drefn iawn, gan roi rhifau (1, 2, 3...) yn y blychau.

Lladron!

5 | Mi ddringodd Jac dros y ffens, ond welodd o mo'r pot blodau yr ochr arall.
Mi wnaeth o sŵn ofnadwy wrth dorri. Roedd y drws ar gau beth bynnag. *in any case*

3 | Mi wnaethon nhw gyrraedd adre am un ar ddeg o'r gloch ac mi wnaeth
Jane sylweddoli bod nhw wedi gadael goriad y tŷ yn y car.
realised *left house keys*

2 Ar ôl y parti, mi wnaethon nhw benderfynu cerdded adre. Roedd y tywydd yn sych, felly mi wnaethon nhw adael y car yn ymyl tŷ eu ffrindiau nhw.

1 Un noson braf, mi aeth Jac a Jane i barti. Roedd y parti yn y pentre nesa, felly mi aethon nhw yn y car.

7 Welon nhw mo'r golau yn dŵad ymlaen yn y tŷ drws nesa. Mi aethon nhw â'r ysgol a'i rhoi yn erbyn y tŷ.
ladder

feel
like
4 Roedd y ddau wedi blino, a doedd dim awydd *desired* cerdded yn ôl i'r car arnyn nhw, felly mi ddwedodd Jane, 'Be' am ddrws y cefn?'

9 Y peth nesa, roedd 'na olau cryf ar Jane, hanner ffordd drwy ffenest ystafell ymolchi'r tŷ. Trwy lwc, roedd y plismon yn nabod Jac, felly gaethon nhw mo'u harestio!

8 Mi aeth Jane i fyny'r ysgol. Roedd y ddau mor brysur, chlywon nhw mo gar yr heddlu yn cyrraedd ac yn parcio yn y stryd.

6 Pan ddaeth Jac yn ôl, mi ddwedodd Jane, 'Be' am fynd drwy ffenest yr ystafell ymolchi?' Mae 'na ysgol yng ngardd drws nesa.

Sgwrsio

i.   Dach chi'n mwynhau gweithio yn y tŷ?
ii.   Pa waith tŷ dach chi'n fwynhau/ei gasáu?
iii.   Pwy sy'n gwneud y gwaith tŷ yn eich cartre chi?
iv.   Pryd mae'r glanhau a'r smwddio yn cael eu gwneud?
v.   Dach chi wedi cael eich cloi allan o'r tŷ erioed?

Geirfa

adrodd yn ôl	-	to report back
anobeithiol	-	hopeless
archeb(ion) (b)	-	order(s)
archebu	-	to order
beth bynnag	-	anyway
blwch (blychau)	-	box(es)
doedd dim awydd		
... arnyn nhw	-	they didn't fancy...
fel mae'n digwydd	-	as it happens
heb sôn am	-	let alone (literally 'without mentioning')
lloeren(nau) (b)	-	satellite(s)
sgets(ys) (b)	-	sketch(es)
sylweddoli	-	to realise
y fath beth	-	such a thing

Cwrs Canolradd: Uned 9

Nod: Ysgrifennu llythyrau

Ymarfer

Os dach chi'n ysgrifennu llythyr, dyma rai brawddegau defnyddiol.

Cyfeiriad - yn Gymraeg!		
Dyddiad: 20 Medi 2006		
Annwyl Lowri, Annwyl Gyfaill, Annwyl Syr / Madam,	Dear Lowri, Dear Friend, Dear Sir / Madam,	Agor llythyr
Sut wyt ti? Sut mae pethau ers [talwm]? Sut hwyl erbyn hyn?	How are you? How are things, since [a long time]? How are things by now?	At ffrind
Gair byr i ddiolch i chi am... Gair byr ynglŷn â...	A brief word to thank you for... A brief word regarding...	Tipyn bach yn fwy ffurfiol
Ysgrifennaf atoch ynglŷn â ... Ysgrifennaf ar ran pwyllgor y dre	I write regarding... I write on behalf of the town committee	Ffurfiol iawn
Diolch i chi am eich llythyr Diolch i chi am y gwahoddiad Diolch am eich sylwadau	Thank you for your letter Thank you for the invitation Thank you for your comments	I ateb llythyr
Roedd hi'n ddrwg gen i glywed.... Mae'n ddrwg calon gen i fod...	I was sorry to hear... I'm very sorry that...	Ymddiheuro

Mi faswn i wrth fy modd yn dŵad...
Mi fydd hi'n bleser...
Yn anffodus, fedra i ddim derbyn...
Mae'n ddrwg gen i, fydd hi ddim
  yn bosibl i mi ddod / ddŵad....
	I'd be delighted to come...
	It will be a pleasure...
	Unfortunately, I can not accept...
	I'm sorry, it won't be possible
	  for me to come...
		Derbyn neu wrthod

Mi hoffwn ateb eich sylwadau am....	*I'd like to answer your comments about...*	Cwyno
Roedd yn ddrwg iawn gen i	*I was very sorry to hear...*	
Dw i ddim yn hapus o gwbl fod...	*I'm not at all happy that...*	
Dw i'n edrych ymlaen at glywed oddi wrthych	*I look forward to hearing from you*	Gorffen llythyr
Diolch am eich cydweithrediad	*Thank you for your cooperation*	
Mi faswn i'n ddiolchgar i gael ateb yn fuan / efo'r troad	*I'd be grateful to have an answer soon / by return of post*	
Amgaeaf siec efo'r llythyr hwn	*I enclose a cheque with this letter*	
Yr eiddoch yn gywir,	*Yours sincerely,*	Cloi
Yn gywir,	*Sincerely,*	
Cofion cynnes,	*Warm regards,*	
Cofion gorau,	*Best regards,*	

Tasg - enghreifftiau

Efo'ch partner, ffeindiwch:

1. y llythyr sy'n rhoi gwahoddiad
2. y llythyr sy'n cwyno
3. y llythyr sy'n gwrthod gwahoddiad
4. y llythyr sy'n diolch
5. y llythyr sy'n derbyn gwahoddiad
6. y llythyr sy'n ymddiheuro

Cael llythyr **oddi wrth**   -   *to get a letter **from***
Anfon llythyr **at**   -   *send a letter **to***

Annwyl Jim,

Diolch o galon am eich gwahoddiad i'r parti. Mi faswn i wrth fy modd yn dŵad. Mae Jac hefyd yn edrych ymlaen at weld pawb. Mi fyddwn ni yno erbyn wyth o'r gloch, ac mi ddown ni â photel o win coch, fel arfer.

Yn gywir,
Elin

Annwyl Cerys,

Sut hwyl ers talwm?! Mi hoffen ni'n fawr taset ti'n gallu dŵad i gael swper yng Ngwesty'r Emlyn nos Sadwrn 15 Mehefin. Y bwriad ydy codi arian at yr Eisteddfod, felly y gost fydd £20 y pen. Mi fydd £10 o'r arian yn mynd at yr Eisteddfod. Rho wybod drwy ffonio neu e-bostio, os wyt ti isio dŵad. Dan ni'n edrych ymlaen at glywed oddi wrthot ti.

Cofion,
John a Mair

Annwyl Mr Evans,

Diolch am eich gwahoddiad i ginio aduniad 1973. Yn anffodus, mi fydda i'n gweithio dramor yr wythnos honno, felly fydda i ddim yn gallu bod yn bresennol. Dw i'n siŵr y cewch chi amser da iawn. Dw i'n cofio bod yn yr ysgol fel tasai hi ddoe. Gobeithio y codwch chi ddigon o arian i gael to newydd yn y neuadd.

Yr eiddoch yn gywir,
Dewi Lewis

Annwyl Mr Pierce,

Ysgrifennaf ar ran pwyllgor Merched y Wawr, i ddiolch i chi am ddŵad aton ni yr wythnos diwetha. Roedd hi'n ddiddorol clywed am eich teithiau cerdded chi yn Peru a Phatagonia.

Mi gafodd pawb hwyl wrth wrando ar eich storïau, ac wrth edrych ar y lluniau. Mi fydd rhaid i chi ddŵad yn ôl aton ni ar ôl bod yn Siberia! Amgaeaf siec am y noson efo'r llythyr hwn.

Cofion,
Mrs Ann Parry (Ysgrifennydd)

Annwyl Syr,

Roedd rhaid i fi ysgrifennu atoch chi ar ôl darllen y llyfr newydd am Victor Edwards-Morris, fy nhaid. Mae llawer o ffeithiau'n anghywir yn y llyfr. Yn gyntaf, chafodd o mo'i eni yn Llanelli, ond yng Nghaerfyrddin. Yn ail, fuodd o ddim ar daith i Ogledd Iwerddon erioed. Mae'r teulu i gyd yn siomedig, yn enwedig nain. Dan ni'n disgwyl ymddiheuriad.

Yr eiddoch yn gywir,
Meirwen Edwards-Morris

Annwyl Miss Morgan,

Roedd hi'n ddrwg gen i glywed am ddoe. Mi glywais fod plant o'r ysgol wedi camymddwyn yn ystod y daith i'r ganolfan. Wrth gwrs, mi fyddwn ni'n cael gair efo'r plant a'r athrawon i ffeindio pwy oedd yn gyfrifol. Hefyd, mi fyddwn ni'n ysgrifennu at eu rhieni nhw. Unwaith eto, ymddiheuriadau am y llanast, a gobeithio y byddwch chi'n rhoi'r un neges i'r staff i gyd.

Yr eiddoch yn gywir,
Mrs Lucille Lewis
(Pennaeth yr Ysgol)

🎭 Deialog

A: Mi ges i lythyr rhyfedd ddoe.

B: Oddi wrth bwy?

A: Oddi wrth y dyn drws nesa.

B: Pam na fasai fo'n dŵad draw i gael gair?

A: Dw i ddim yn gwybod.

B: Wel, be' mae o'n ddweud yn y llythyr?

A: Mae o'n ein gwahodd ni i barti ymddeol heno.

B: Chwarae teg iddo fo. Do'n i ddim yn gwybod eich bod chi'n ffrindiau.

A: Wel, dyna'r peth. Dw i erioed wedi siarad efo'r dyn.

B: Ydy o'n byw ar ei ben ei hun?

A: Nac ydy, mae gynno fo wraig a dau o blant.

B: Ella fod o isio dŵad i nabod ei gymdogion o.

A: Mae'n bosib. Dyn nhw ddim wedi dangos diddordeb cyn hyn.

B: Dach chi'n bwriadu mynd?

A: Dan ni ddim wedi penderfynu'n iawn.

B: Ydy'r teulu drws nesa'n siarad Cymraeg?

A: Dw i'n meddwl bod nhw.

B: Mae hynny'n rhyfedd. Os ydyn nhw'n siarad Cymraeg,
mi fasai rhywun yn yr ardal yn gwybod rhywbeth amdanyn nhw.

A: Rwyt ti'n iawn. Wel, does dim ond un ffordd o ffeindio allan!

B: Derbyn y gwahoddiad! Rho wybod be' wnaeth ddigwydd.

Sgwrsio

1. Dach chi wedi cael gwahoddiad annisgwyl erioed?
2. Be' dach chi'n wybod am y bobl sy'n byw drws nesa i chi?

Darn Darllen

Efo'ch partner, darllenwch y llythyr yma a rhoi'r geiriau addas yn y bylchau:

> _Annwyl_ Gyfaill,
>
> Diolch yn fawr _am_ eich llythyr ynglŷn â'r cyngerdd. Yn anffodus, fydd y côr ddim
> yn medru _dŵad_ i'r cyngerdd, gan fod digwyddiad arall ymlaen yr _un_ [because] [event]
> noson. Mae'r côr yn mynd i gartref hen _bobl_ bob blwyddyn, a dan ni wedi
> trefnu ein bod yn mynd i'r Hafod y nos Wener yna. Mae'n _ddrwg_ iawn gen i
> am hynny, a gobeithio byddwn ni'n gallu dŵad atoch chi eto yn y _dyfodol_
>
> Yn _gywir_,
>
> Elwyn Prosser (Ysgrifennydd y Côr)

Tasg - ysgrifennu llythyr

Efo'ch partner, ysgrifennwch lythyr 5 neu 6 llinell ar un o'r pynciau yma: [subjects]

a. Ysgrifennwch at athrawes eich plentyn 7 oed yn gofyn am gyfarfod i drafod [ask for a meeting to discuss]
gwaith eich plentyn.

b. Mae aelod arall o'r dosbarth heb fod yma ers tair wythnos. Ysgrifennwch ato/ati
yn gofyn ydy o/hi'n iawn ac i ddweud be' mae o/hi wedi ei golli yn y dosbarth.
[are the OK + to tell them what they have missed in class]

Sgwrsio   contact

1. Dach chi'n un (d)da am gadw mewn cysylltiad efo ffrindiau?
2. Dach chi'n ysgrifennu llythyrau, yn anfon e-bost, yn tecstio neu'n ffonio?
3. Pan oeddech chi'n blentyn, oedd gynnoch chi ffrind trwy lythyr? (*pen friend*)
4. Os oedd, wnaethoch chi gyfarfod eich ffrind o gwbl? Dach chi'n dal mewn cysylltiad?
                                                                    still

Geirfa

Sâl

Tost

Tafodiaith!

addas	- *suitable*
aduniad	- *reunion*
amgaeaf (amgáu)	- *I enclose, I am enclosing (to enclose)*
anghywir	- *incorrect*
annisgwyl	- *unexpected*
Annwyl	- *Dear*
ar ran	- *on behalf of*
bwriad(au)	- *intention(s)*
bwriadu	- *to intend*
cadw mewn cysylltiad	- *to keep in touch*
camymddwyn	- *to misbehave*
Cofion cynnes	- *Warm regards*
Cofion gorau	- *Best regards*
cwyno	- *to complain*
cydweithrediad	- *co-operation*
cyfrifol	- *responsible*
cymydog (cymdogion)	- *neighbour(s)*
derbyn	- *to accept* (ond hefyd '*to receive*' weithiau)
digwyddiad(au)	- *event(s), happening(s)*
diolchgar	- *thankful*
disgwyl	- *to expect, to wait*
dod / dŵad draw	- *to come over*
e-bost	- *e-mail*
efo'r troad	- *by return*
ers talwm	- *a long time ago*
ffaith (ffeithiau) (b)	- *fact(s)*
ffrind trwy lythyr	- *pen-friend*
gwahoddiad(au)	- *invitation(s)*
gwrthod	- *to refuse*
llanast	- *mess*
mae'n ddrwg calon gen i	- *I'm very sorry, I'm so sorry*
neuadd(au) (b)	- *hall(s)*
pleser(au)	- *pleasure(s)*
pwnc (pynciau)	- *subject(s)*
rho wybod (rhoi gwybod)	- *let me know (familiar) (to inform)*
rhoi gwahoddiad	- *to invite*
siomedig	- *disappointing*
Sut hwyl?	- *How are things?*
sylw(adau)	- *comment(s)*
tecstio	- *to text*
ymddiheuriad(au)	- *apology (-ies)*
ymddiheuro	- *to apologise*
yn enwedig	- *especially*
Yn gywir	- *Sincerely*
ynglŷn â	- *about, concerning*
Yr eiddoch yn gywir	- *Yours sincerely*
ysgrifennaf	- *I write, I am writing*

Cwrs Canolradd: Uned 10

Nod: Adolygu ac ymestyn

Ymarfer

> Wnes i ddim byd ddoe
> Mi weithiais i'n galed ddoe
>
> Mi fydd rhaid i mi fynd i'r swyddfa yfory
> Mi fydd rhaid i mi aros adre
>
> Mi ddylwn i fod yn Sbaen wythnos yma
> Mi ddylwn i alw i weld mam wythnos yma
>
> Dw i'n meddwl bod *Pobl y Cwm* yn wych
> Dw i'n meddwl bod *Eastenders* yn ddiflas
>
> Dw i wrth fy modd efo chwaraeon
> Dw i wrth fy modd yn ateb cwestiynau
>
> Fi sy'n bwydo'r ci fel arfer
> Rhywun arall sy'n golchi'r llestri
>
> Wnes i mo'r gwaith cartre
> Welais i mo John yn y dafarn

Gofynnwch y cwestiynau yma i'ch partner.

1. Be' wnest ti ddoe?
2. Be' sy raid i ti wneud yfory?
3. Be' ddylet ti wneud wythnos yma?
4. Be' wyt ti'n feddwl o operâu sebon?
5. Be' wyt ti'n lico wneud fwya?
6. Yn dy dŷ di, pwy sy'n gwneud be' fel arfer? e.e. Fi sy'n..., Sam sy'n...
7. Siarada am rywbeth na wnest ti cyn dŵad i'r dosbarth, e.e. Olchais i mo'r llestri.

> rhywbeth **na** wnest ti = rhywbeth wnest ti **mohono fe**

➡ Rŵan, trowch y cwestiynau i siarad am rywun arall yn y dosbarth.
Dyfalwch (*guess*) yr atebion!

Tasg - mohono fo / mohoni hi

Dyma restr o'r pethau wnaethoch chi i John. Newidiwch y brawddegau i ddweud **na** wnaethoch chi'r pethau yma, gan ddilyn yr enghraifft.

| cicio | ffonio | talu | gweld |

Partner 1:   Mi giciais i John
Partner 2:   Chiciais i mohono fo

Dyma restr o'r pethau wnaethoch chi i Menna. Gwnewch yr un peth eto.

| priodi | bwydo | clywed | temtio |

Dyma restr o'r pethau wnaethoch chi i'r plant. Gwnewch yr un peth eto.

| galw | taflu | poeni | codi |

Tasg - llenwi bylchau

Efo'ch partner. Llenwch y bylchau gan ddefnyddio'r geiriau o'r rhestr. Cofiwch y treigladau!

blin	tad	braich	mai	dringo
pedair	hufen iâ	cwyno	sinema	tŷ bach
popcorn	gorau	eistedd	cân

Pan oeddwn i'n _____ oed, mi es i i'r _____ am y tro cyntaf.

Mi aeth fy _____ a fi a fy chwaer fawr saith oed i weld y ffilm 'The Sound of Music'.

Ro'n i'n meddwl _____ hyn oedd y peth _____ erioed i ddigwydd i mi!

   Pan gyrhaeddon ni, roedden ni'n _____ ar ganol rhes. Tua pum munud ar ôl i'r

ffilm ddechrau, mi ofynnodd dad oedden ni isio _____. Roedd y siop fach yng nghefn

y sinema, felly roedd rhaid i ni _____ heibio i bawb. Erbyn i mi gyrraedd y sêt roedd

y ffilm yn dechrau ac roedd pobl yn _____ bod rhaid iddyn nhw godi i ni fynd heibio. Deg munud ar ôl i'r ffilm ddechrau (pan oedden nhw'n trafod problem fel Maria), roedd rhaid i mi fynd i'r _____. Welon ni mo'r plant yn cwrdd â Maria, ac roedd fy chwaer yn _____ iawn.

Roedd pob dim yn iawn nes i mi glywed y _____ 'Doh a Deer'. Ro'n i wedi clywed hon o'r blaen ac roedd rhaid i mi sefyll ar ben y gadair a'i chanu hi'n uchel. Roedd dad wedi cael llond bol. Mi wnaeth o 'nghodi i efo un _____, a dal llaw fy chwaer, cario'r cotiau a'n tynnu ni i gyd allan heibio i bawb mewn llai na phedair munud. Yn anffodus, mi wnaeth o anghofio'r _____, felly mi wnes i grio nes cyrraedd adre. Y noson honno mi ddwedodd fy nhad na faswn i'n cael mynd i'r sinema eto am amser hir iawn!

Dach chi'n cofio codi cywilydd ar eich teulu pan oeddech chi'n blant bach?
Ydy eich plant chi wedi codi cywilydd arnoch chi erioed?

 Tasg - gwrando a deall

Efo'ch partner, trafodwch y cwestiynau yma; yna, gwrandewch ar y darn gwrando a'u hateb:

Yma, mae Caren a Ioan yn siarad ar iard yr ysgol.

i.   Pam mae Caren a Ioan yn poeni am wythnos nesa?
ii.   Pwy fydd yn edrych ar ôl plant Ioan?
iii.   Pam fydd rhaid i Ioan fod yn y gwaith?
iv.   Pwy ydy Daniel?

v.   Lle fydd teulu Caren yn aros yng Nghernyw?
vi.   Sut mae'r tywydd?
vii.   Be' sy'n digwydd i Daniel wythnos nesa?
viii.   Lle mae Ioan yn gweithio?

Darn Darllen

Cyrraedd Carreg Filltir   (allan o'r *Cymro*, Mawrth 2006)

Dydy hi ddim wedi bod yn hawdd, ond nos Sadwrn diwetha, mi gyrhaeddodd Idris Jones garreg filltir arbennig, wrth iddo ennill yr Ail Dan ym myd Karate.

Mae Idris yn dŵad o Sir Fôn, ond rŵan mae o'n byw ym Morfa Bychan, ger Porthmadog ac yn gweithio fel peintiwr ac arwyddwr. Naw mlynedd yn ôl, cafodd un o arennau Idris ei rhoi i'w frawd o, Robert, sy'n byw yn Llangefni. Roedd y llawdriniaeth yn llwyddiannus, ond yn ddiweddar, mae problemau newydd wedi codi ac mi fydd rhaid i Robert gael trawsblaniad arall yn y dyfodol. Mi fuodd Idris ei hun yn sâl iawn pan gafodd o feirws. [virus]

Ond, meddai Idris, rhaid brwydro ymlaen. Mi ddwedodd o fod ennill yr Ail Dan wedi bod yn waith caled, ond roedd o wedi mwynhau'r cyfan. 'Ro'n i wrth fy modd,' meddai, 'roedd hi'n noson arbennig iawn'.

Y cam nesa i Idris fydd rhedeg Ras yr Wyddfa ym mis Gorffennaf, ac mae o'n gobeithio codi arian i Ambiwlans Awyr Gogledd Cymru. 'Dw i hefyd yn gobeithio ennill y Trydydd Dan,' meddai, 'ond mi fydd rhaid ymarfer yn galed am dair blynedd. Mi fydd hi'n anrheg pen-blwydd wych - mi fydda i'n 50 oed yn 2009!'

Cwestiynau

1. Be' ddigwyddodd nos Sadwrn diwetha?
2. Lle mae Idris yn byw? Lle mae ei frawd o'n byw?
3. Be' ydy gwaith Idris?
4. Sut helpodd Idris ei frawd o?
5. Sut mae ei frawd o erbyn hyn?
6. Be' oedd Idris yn feddwl o nos Sadwrn?
7. Sut mae Idris yn mynd i godi arian nesa?
8. Faint oedd oed Idris yn 2006?

 Sgwrsio

Be' ydy'r cerrig milltir yn eich bywyd chi? Rhestrwch 4 ohonyn nhw ar ddarn o bapur a'u rhoi o flaen y grŵp. Mi fydd pawb yn gofyn cwestiynau i chi amdanyn nhw.

Geirfa

Ambiwlans Awyr	-	*Air Ambulance*
aren (arennau) (b)	-	*kidney(s)*
arwyddwr (arwyddwyr)	-	*sign-maker(s)*
brwydro ymlaen	-	*to battle on*
cael llond bol	-	*to have a belly full*
carreg filltir (cerrig milltir) (b)	-	*milestone(s)*
codi cywilydd	-	*to embarrass*
dyfalu	-	*to guess*
llawdriniaeth(au) (b)	-	*operation(s)*
rhes(i) (b)	-	*row(s)*
temtio	-	*to tempt*
trawsblaniad(au)	-	*transplant(s)*

Tafodiaith!

Cwrs Canolradd: Uned 11

Nod: Trafod y dosbarth; defnyddio arddodiaid

Ymarfer

Dan ni'n disgwyl **am** y tiwtor
Dan ni'n sôn **am** y tywydd
Dan ni'n edrych **ar** y tiwtor yn cyrraedd
Dan ni'n chwilio **am** ein gwaith cartref
Dan ni'n dweud 'helo' **wrth** y tiwtor
Dan ni'n ymddiheuro **am** anghofio
Dan ni'n meddwl **am** gael coffi
Dan ni'n cwyno **am** dreigladau
Dan ni'n gwrando **ar** dâp
Dan ni'n chwilio **am** yr atebion
Dan ni'n edrych **ar** y cloc
Dan ni'n anfon tecst **at** y tiwtor
Dan ni'n darllen **am** yr Eisteddfod
Dan ni'n siarad efo partner **am** yr Eisteddfod
Dan ni'n ymweld **â'r** Eisteddfod
Dan ni'n clywed **am** y gwaith cartref
Dan ni'n mynd **i'r** dafarn / **i'r** caffi
Dan ni'n edrych ymlaen **at** y wers nesaf

[handwritten annotations: wait for; mention/talk about; arriving; search for; apologise for; complain; visit; look forward]

Tasg - gofyn cwestiynau

Rŵan, gofynnwch gwestiwn gan ddechrau efo'r gair bach mewn print tywyll,
i fynd efo'r atebion uchod, e.e.

A: **Am** bwy dach chi'n disgwyl?
B: Dan ni'n disgwyl **am** y tiwtor.
A: **Ar** beth dach chi'n edrych?
B: Dan ni'n edrych **ar** y cloc.
A: **At** bwy dach chi'n anfon tecst?
B: Dan ni'n anfon tecst **at** y tiwtor.   Ceisiwch feddwl **am** atebion gwahanol!

Ymarfer

Pwy ddwedodd wrthoch chi?	Jac ddwedodd wrthon ni
Deud wrtha i!	Dw i wedi dweud wrthot ti'n barod
Paid dweud wrth y tiwtor	Dw i ddim yn mynd i ddweud wrtho fo / wrthi hi
Wyt ti wedi dweud wrth bawb arall?	Dw i ddim wedi dweud wrthyn nhw!
Wyt ti am ddweud wrth y bos?	Dw i ddim isio dweud wrtho fo

Tasg - trefnu parti

Dach chi fel dosbarth yn trefnu parti. Penderfynwch pwy sy'n cael dŵad i'ch parti. Rhaid iddyn nhw i gyd fod yn enwog, a rhaid i chi gytuno, e.e.

A: Gawn ni ofyn i Bill Clinton?

B: Dw i wedi gofyn iddo fo - mae o a Hilary'n dŵad!

A: Gawn ni ofyn i Madonna?

B: Dw i ddim isio gofyn iddi hi.

A: Gawn ni ofyn i Tony a Cherie?

B: Dw i wedi gofyn iddyn nhw - mi ddôn nhw os bydd Bill a Hilary'n dŵad.

Defnyddiwch y ddeialog i siarad am bwy sy'n dŵad i'ch parti chi.

Ymarfer

Os dach chi wedi benthyg arian gan rywun, mae **arnoch chi** arian iddyn nhw:

Mae arna i ddwy bunt i John	*I owe John two pounds*
Mae arna i ddwy bunt iddo fo	*I owe him two pounds*
Mae arna i ddwy bunt i Mair	*I owe Mair two pounds*
Mae arna i ddwy bunt iddi hi	*I owe her two pounds*
Mae arna i ddwy bunt i John a Mair	*I owe John and Mair two pounds*
Mae arna i ddwy bunt iddyn nhw	*I owe them two pounds*
Mae arno fo ddwy bunt i mi	*He owes me two pounds*
Mae arni hi ddwy bunt i mi	*She owes me two pounds*
Oes arnyn nhw rywbeth i ni?	*Do they owe us something?*

A: Oes **arnon ni** rywbeth am y **coffi**?

B: Oes, mae **arnoch chi 50c** yr un. Os **dach chi** wedi cael **bisged, mae arnoch chi 80c**!

Efo'ch partner, newidiwch y geiriau mewn print tywyll.

Cwrs Canolradd: Uned 11

 Tasg – cwestiynau

Gofynnwch y cwestiynau yma i'ch partner, ac atebwch yr un cwestiynau:

At ba ddoctor wyt ti'n mynd?
At ba ddeintydd wyt ti'n mynd?
I ba wlad dramor est ti ar wyliau gynta erioed?
Efo pwy wnest ti siarad ar y ffôn ddiwetha?
Ar ba raglen deledu wnest ti edrych ddiwetha?
Ym mha gaffi / tŷ bwyta wnest ti fwyta ddiwetha?
At bwy wnest ti ysgrifennu/sgwennu ddiwetha?

 Tasg – cwis

Mi fydd y tiwtor yn rhannu'r dosbarth yn ddau. Rhowch yr atebion yn y golofn gynta:

Ateb	Cwestiwn

Rŵan efo'ch partner, ceisiwch gofio be' oedd y cwestiynau!

Tasg - dewis siaradwyr gwadd

Dach chi'n trefnu rhaglen eich cangen o CYD.
Meddyliwch am bobl enwog i ddŵad i siarad efo chi am y pedwar mis nesaf.
Does dim rhaid iddyn nhw fod yn medru siarad Cymraeg - mae gynnoch chi offer cyfieithu!
Gofynnwch gwestiynau fel:

Gawn ni ofyn i...?
Dw i ddim isio gofyn iddi hi!
Iawn, dw i'n fodlon gofyn iddo fo.

Am be' fydd o'n siarad?
Mi geith o/hi siarad am....

Ar y diwedd, deudwch wrth y
dosbarth pwy dach chi'n edrych
ymlaen fwyaf at ei glywed yn siarad.

Mis:	Enw:	Pwnc:
Mis:	Enw:	Pwnc:
Mis:	Enw:	Pwnc:
Mis:	Enw:	Pwnc:

Deialog

A: Mae Mair wedi ysgrifennu aton ni.

B: Be' sy'n bod arni hi rŵan?

A: Dim byd. Do'n i ddim wedi siarad efo hi ers talwm.

B: Ydy hi'n gofyn amdana i?

A: Nac ydy. Ro'n i'n falch o glywed oddi wrthi hi.

B: Be' ddwedodd hi wrthot ti?

A: Mae'r llythyr yma gen i. Wyt ti isio edrych arno fo?

B: Mewn munud. Wnei di ysgrifennu nôl ati hi?

A: Gwnaf, heno gobeithio.

B: Cofia fi ati hi. Wyt ti'n meddwl dylet ti ddweud wrthi hi eto?

A: Wnaiff hi ddim dweud wrth neb os gofynna i iddi hi beidio.

B: Dw i wedi gwrando arni hi'n hel clecs. Dw i'n poeni!

A: Poeni am be'?

B: Amdani hi'n dweud ein hanes ni wrth y byd a'r betws.  to everyone

A: Mae hi'n sôn am ddŵad i aros efo ni.

B: Nefoedd! Am faint?

A: Dw i ddim yn gwybod. Mae hi'n dweud ei bod hi'n edrych ymlaen at ein gweld ni i gyd.

B: Ydy, mae'n siŵr.

A: Ac mae hi'n gofyn fedrwn ni ofalu am ei chi hi am bythefnos tra bydd hi'n mynd at ei chwaer yng Nghanada.

B: Y Doberman! Wna i ddim gofalu amdano fo wir! Be' am y 'Gwesty Cŵn' crand lle mae o'n aros fel arfer?

A: Mae hi wedi gofyn iddyn nhw ond maen nhw'n dweud bod nhw'n llawn.

B: Llawn wir! Wyt ti'n cofio be' wnaeth o i'r Chiwawa 'na y tro diwetha?

A: Ydw! Be' am smalio bod y Swyddfa Bost wedi colli'r llythyr yma...

B: Syniad da! A be' am drefnu gwyliau i ni yn sydyn!

Darn Darllen

Darllenwch y llythyr, ac atebwch y cwestiynau:

Annwyl Mari,

Diolch yn fawr iawn i ti am gynnig prynu'r holl docynnau i fynd i'r Noson Lawen. Mae John yn dweud bod arno fo dair punt i Huw ers nos Fercher - felly mi wnaiff o dalu am docyn Huw hefyd. Mae Huw yn dweud bod arno fo chwe phunt i Mai felly mi wnaiff o brynu tocyn Mai a'i gŵr.

Mae Alun yn canu efo côr y Ceffyl Gwyn. Felly mi fydd o yna beth bynnag. Does gan Meic neb i warchod, felly anghofia amdano fo. Mae Sara'n dweud bod arnat ti bum punt iddi hi, felly wnei di brynu ei thocyn hi a rhoi dwy bunt yn ôl iddi hi?

Dyma siec Gareth a Liz. Maen nhw'n dweud bod arnyn nhw ddeg punt i rywun ers y cinio Nadolig diwetha - ond anghofia am hynny, mi ofynnan nhw i bawb ar y noson. Dw i wedi methu cysylltu efo Jane - penderfyna di os wyt ti am brynu tocyn drosti hi. Mae gan Peter a Paula docynnau'n barod.

Dyma siec oddi wrtha i am £6, fydd arna i a Claire ddim byd i ti wedyn. Gobeithio bod hyn yn gywir - dw i ddim yn meddwl y bydd arnon ni ddim byd i ti yn y diwedd. Rwyt ti'n haeddu potel o win am dy drafferth!

Mi wela i ti y tu allan i'r neuadd am chwarter wedi saith,

Hwyl,
Aled

Efo'ch partner, penderfynwch:

i. Faint o docynnau fydd rhaid i Mari brynu i gyd?
ii. Pwy sy ddim angen tocynnau?
iii. Pwy sy ddim yn mynd o gwbl?
iv. Pwy sy'n talu dros Huw?
v. Pam fydd Huw yn rhoi pres i Mari hefyd?
vi. Ydy Sara'n mynd i roi pres i Mari?
vii. Enwch un eitem fydd yn y Noson Lawen.
viii. Fydd Mari'n cynnig prynu tocynnau i bawb eto?

Sgwrsio
Pan oeddech chi'n blentyn...

i. I le aethoch chi i'r ysgol gynradd?
ii. I le aethoch chi i'r ysgol uwchradd?
iii. Sut oeddech chi'n mynd i'r ysgol?
iv. Be' oeddech chi'n ei fwynhau fwyaf / leiaf yn yr ysgol?
v. Efo pwy oeddech chi'n hoffi chwarae? Be' oeddech chi'n chwarae?
vi. At bwy oeddech chi'n hoffi mynd i aros ar wyliau?
vii. Sut dach chi'n meddwl bod ysgolion wedi newid erbyn hyn?

Geirfa

arddodiad (arddodiaid)	- *preposition(s)*
benthyg arian gan	- *to borrow money from*
benthyg arian i	- *to lend money to*
beth bynnag	- *anyway*
cangen (canghennau) (b)	- *branch(es)*
cynnig	- *to offer*
chwilio am	- *to look for*
disgwyl am, aros am	- *to wait for*
esgus (esgusodion)	- *excuse(s)*
gofalu am	- *to look after*
haeddu	- *to deserve*
hel clecs	- *to gossip*

methu, ffaelu	- *to fail*
Nefoedd!	- *Heavens!*
noson lawen (nosweithiau llawen) (b)	- *evening of light entertainment*
offer cyfieithu	- *translation equipment*
smalio	- *to pretend*
sôn am	- *to talk about, to mention*
trafferth(ion) (b)	- *trouble(s)*
y byd a'r betws	- *all and sundry*
ysgol gynradd (ysgolion cynradd) (b)	- *primary school(s)*
ysgol uwchradd (ysgolion uwchradd) (b)	- *secondary school(s)*

methu
ffaelu
Tafodiaith!

 # Gramadeg

Dyma'r arddodiaid mwyaf cyffredin (*most common prepositions*):

ar	am	at
ar John	am John	at John
arna i	amdana i	ata i
arnat ti	amdanat ti	atat ti
arno fo	amdano fo	ato fo
arni hi	amdani hi	ati hi
arnon ni	amdanon ni	aton ni
arnoch chi	amdanoch chi	atoch chi
arnyn nhw	amdanyn nhw	atyn nhw

i	wrth	o
i John	wrth John	o John
i mi	wrtha i	ohona i
i ti	wrthot ti	ohonot ti
iddo fo	wrtho fo	ohono fo
iddi hi	wrthi hi	ohoni hi
i ni	wrthon ni	ohonon ni
i chi	wrthoch chi	ohonoch chi
iddyn nhw	wrthyn nhw	ohonyn nhw

Cwrs Canolradd: Uned 12

Nod: Defnyddio 'cael'

Ymarfer

Lle gest ti dy eni?	Mi ges i fy ngeni yn....
Lle gest ti dy fagu?	Mi ges i fy magu yn....
Lle gaeth dy rieni eu geni?	Mi gaeth fy mam ei geni yn...
	Mi gaeth fy nhad ei eni yn...
	Mi gaethon nhw eu geni yn...
Lle gaeth dy rieni eu magu?	Mi gaethon nhw eu magu yn...
Lle gaeth dy blant eu geni?	Mi gaethon nhw eu geni yn...

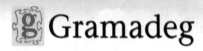
Gofynnwch y cwestiynau yma i'ch partner, yna gofyn cwestiynau'n dechrau efo **Pryd**...

Gramadeg

Dyma'r treigladau ar ôl **Mi gaeth o ei...**, **Mi gaeth hi ei...**, **Mi gaethon nhw eu...** :

Gwrywaidd (*masculine*)	= treiglad meddal
Benywaidd (*feminine*)	= treiglad llaes (t, c, p)
Lluosog (*plural*)	= dim treiglad

Os dach chi ddim yn siŵr, defnyddiwch y gwrywaidd,
e.e.   Mi gaeth yr eliffant ei eni yn Sw Bryste.

Y term gramadegol ar gyfer y patrwm hwn ydy'r **goddefol** (*passive*).

Ymarfer

Pryd gaeth eich tŷ ei adeiladu?

Mi gaeth o ei adeiladu

yn y nawdegau
yn yr wythdegau
yn y saithdegau
yn y chwedegau
yn y ganrif ddiwetha

Gofynnwch i'ch gilydd am oed yr adeiladau yn y dre - dyfalwch!

	Benywaidd		Gwrywaidd
Pryd gaeth	yr eglwys ei hadeiladu?	Pryd gaeth	y pwll nofio ei adeiladu?
	yr ysgol		y coleg
	yr archfarchnad		y gwesty
	y neuadd		y capel

Mi gaeth hi ei hadeiladu yn y saithdegau.

Ymarfer

Be' ddigwyddodd i'r plant ddoe?	Mi gaethon nhw eu hanfon i'r ysgol
	Mi gaethon nhw eu cosbi
Be' sy'n digwydd i'r tai?	Maen nhw'n cael eu gwerthu
	Maen nhw'n cael eu peintio
Be' sy wedi digwydd i'r coed?	Maen nhw wedi cael eu torri
	Maen nhw wedi eu torri *
	* Does dim *rhaid* rhoi **cael** efo **wedi**.
Be' wnaiff ddigwydd i'r cathod yn y dyfodol?	Mi gân nhw eu bwydo
	Mi gân nhw eu lladd

Efo'ch partner, gofynnwch y cwestiynau **Be' ddigwyddodd i...** ac yn y blaen.
Siaradwch am **y lladron, y blodau, y llyfrau, y tiwtor, y rhaglen**.

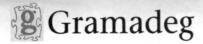 # Gramadeg

Mae **cael** yn medru
golygu (*can mean*)
llawer o bethau, e.e.

Mae o'n cael ei anfon	= *It/He is being sent*
Mae o'n cael mynd	= *He's allowed to go*
Mae o'n cael anrheg	= *He's getting a present*
Gaiff o fynd?	= *May he go?*
Gaiff o anrheg?	= *May he have present?*
	Will he have present?
Mi ges i lythyr	= *I had/received a letter*

Tasg - be' sy'n digwydd i...

Siaradwch am y pethau yma, gan ddilyn yr enghraifft.

Enghraifft: tŷ / peintio

Be' sy'n digwydd i'r **tŷ** rŵan?	Mae o'n cael ei beintio
Be' ddigwyddodd i'r **tŷ** ddoe?	Mi gaeth o ei beintio
Be' sy wedi digwydd i'r **tŷ**?	Mae o wedi cael ei beintio
Be' wnaiff ddigwydd i'r **tŷ** yfory?	Mi gaiff o ei beintio

i.   y ferch / talu
ii.   y lleidr / dal
iii.   y dynion / arestio
iv.   fi / codi
v.   ti / penodi

📖 Darn Darllen

Be' ydy Cân i Gymru?

Mae Cân i Gymru yn gystadleuaeth i
gyfansoddi cân bop newydd. Mae hi'n
digwydd ar Ddydd Gŵyl Dewi, bob blwyddyn,
ac mae hi'n cael ei dangos ar S4C, yn fyw.
Mae'r gân orau yn cael ei dewis gan y
gwylwyr, drwy ffonio, tecstio neu e-bostio.
Mae'r enillwyr yn cael llawer o arian, ac maen
nhw'n cael mynd i gystadlu mewn gŵyl yn
Iwerddon. Nhw sy'n cynrychioli Cymru yn
yr ŵyl Ban-Geltaidd. Mi gaeth Cân i Gymru
ei hennill yn 2006 gan Ryland Teifi.

Efo'ch partner, ysgrifennwch 5 cwestiwn
yn seiliedig ar (*based on*) y darn darllen.

Deialog

Cyfweliad (dychmygol) efo enillydd Cân i Gymru

Ceri Tomos: Dw i'n siarad efo Seimon Swnllyd, prif ganwr y grŵp *Sothach*, sy newydd ennill cystadleuaeth Cân i Gymru. Llongyfarchiadau Seimon.

Seimon S.: Diolch yn fawr!

Ceri: Pam dach chi'n meddwl gaethoch chi eich dewis?

Seimon S.: Achos mai ni oedd y gorau, siŵr o fod.

Ceri: Mi gaethoch chi bleidleisiau o dros Gymru i gyd, yn enwedig o Fangor, Aberystwyth, Abertawe a Chaerdydd.

Seimon S.: Mae'n braf cael eich gwerthfawrogi!

Ceri: Ydy, mae'n siŵr. Gawn ni ychydig o hanes y grŵp? Gaethoch chi i gyd eich geni a'ch magu yn Sanclêr?

Seimon: Mi ges i fy ngeni yn Sanclêr ac mae Dai Drymiwr o Dreforys, ond mi gaeth y gweddill eu geni ymhell o Gymru.

Ceri: A lle wnaethoch chi gyfarfod?

Seimon: Mewn cwrs Cymraeg yn Nant Gwrtheyrn. Ond erbyn hyn dan ni i gyd yn mynd i golegau gwahanol yng Nghymru.

Ceri: Dach chi wir? A lle'n union dach chi'n mynd i'r coleg?

Seimon: Wel, dw i ym Mangor; yn Aberystwyth mae Bryn Blêr y bas; mae Dai Drymiwr yn Abertawe, a Julio yng Nghaerdydd.

Ceri: Dw i'n dechrau dallt rŵan. Dach chi'n meddwl bod rhai o fyfyrwyr Cymru wedi pleidleisio i chi?

Seimon: Mae'n bosib! Roedden ni wedi dweud y basen ni'n trefnu bws o bob coleg yng Nghymru i fynd i'r ŵyl yn Iwerddon... tasen ni'n ennill.

Ceri: Diolch yn fawr Seimon. Pob hwyl i *Sothach* a myfyrwyr Cymru yn Iwerddon fis nesa.

 Sgwrsio

i. Be' dach chi'n wybod am ganu pop Cymraeg?

ii. Dach chi'n gwrando ar ganu pop Saesneg? Ar be' dach chi'n gwrando?

iii. Dach chi wedi pleidleisio dros rywbeth ar y teledu erioed? e.e. *Big Brother* neu *X-Factor*?

iv. Pwy oedd eich hoff grŵp, neu'ch hoff ganwr neu gantores, pan oeddech chi'n ifanc?

Geirfa

archfarchnad(oedd) (b) -	*supermarket(s)*	Gŵyl Ban-Geltaidd (b) -	*Pan-Celtic Festival*
benywaidd	- *feminine*	gwyliwr (gwylwyr)	- *viewer(s)*
coeden (coed) (b)	- *tree(s)*	lleidr (lladron)	- *thief (thieves)*
cosbi	- *to punish*	lluosog	- *plural*
cyfansoddi	- *to compose*	myfyriwr (myfyrwyr)	- *student(s)*
cyfweliad(au)	- *interview(s)*	nawdegau	- *nineties*
cynrychioli	- *to represent*	newydd ennill	- *just won*
cystadleuaeth		penodi	- *to appoint*
(cystadlaethau) (b)	- *competition(s)*	pleidlais	
chwedegau	- *sixties*	(pleidleisiau) (b)	- *vote(s)*
Dydd Gŵyl Dewi	- *St David's Day*	pleidleisio	- *to vote*
dwl	- *silly*	saithdegau	- *seventies*
dychmygol	- *imaginary*	seiliedig ar	- *based on*
enillydd (enillwyr)	- *winner(s)*	y ganrif ddiwetha (b)	- *the last century*
goddefol	- *passive*	yn enwedig	- *especially*
gweddill	- *(the) rest*	yr wythdegau	- *the eighties*
gwerthfawrogi	- *to appreciate*		
gwirion	- *silly*		
gwrywaidd	- *masculine*		
gŵyl (gwyliau) (b)	- *festival(s)*		

Gramadeg

Dyma'r ferf **cael** (gorffennol) wedi ei hysgrifennu'n llawn:

Llafar	Ysgrifenedig	Ffurfiol iawn *(very formal)*
Mi ges i	Ces i	Cefais
Mi gest ti	Cest ti	Cefaist
Mi gaeth o/hi	Cafodd o/hi	Cafodd
Mi gaethon ni	Cawson ni	Cawsom
Mi gaethoch chi	Cawsoch chi	Cawsoch
Mi gaethon nhw	Cawson nhw	Cawsant

Cwrs Canolradd: Uned 13

Nod: Defnyddio'r Amhersonol

  Ymarfer

Wrth ysgrifennu rhywbeth ffurfiol, mae'n bosibl newid:

Mi gaeth / Cafodd Catherine Zeta Jones ei **geni** yn Abertawe

➔ **Ganwyd** Catherine Zeta Jones yn Abertawe

Meddyliwch am bobl enwog. Deudwch wrth eich partner lle gaethon nhw eu geni, gan ddechrau efo **Ganwyd...**

Yn aml iawn, mi fyddwch chi'n clywed y patrwm yma ar newyddion Radio Cymru ac S4C.

Cafodd yr ysbyty ei **agor** ➔ **Agorwyd** yr ysbyty .....

Cafodd deg o bobl eu **harestio** ➔ **Arestiwyd** deg o bobl .....

Cafodd dringwr ei **anafu** ➔ **Anafwyd** dringwr ....

Cafodd y ddamwain ei **hachosi** (gan) ➔ **Achoswyd** y ddamwain (gan)....

Cafodd y ras ei **hennill** (gan) ➔ **Enillwyd** y ras (gan) ....

Cafodd ffenest y siop ei **thorri** (gan) ➔ **Torrwyd** ffenest y siop (gan) ...

Efo'ch partner, newidiwch y brawddegau sy'n dechrau efo **Cafodd...** yn frawddegau ffurfiol.

Mynd, dod/dŵad, gwneud, cael

mynd (â)	➔ aethpwyd/aed (â)	e.e.	Aethpwyd â chwech o bobl i'r ysbyty ar ôl tân
dod/dŵad	➔ daethpwyd	e.e.	Daethpwyd o hyd i'r trysor yn yr ardd
gwneud	➔ gwnaethpwyd/gwnaed	e.e.	Gwnaethpwyd llawer o waith yn y swyddfa ddoe
cael	➔ cafwyd	e.e.	Cafwyd parti gwych i ddathlu...
			Cafwyd cyfarfod neithiwr i drafod...
			Cafwyd cyngerdd i godi arian at yr eisteddfod leol...
			Cafwyd Jeffrey Archer yn euog...

Yr Amherffaith

Os dach chi isio dweud bod rhywbeth yn *arfer* cael ei wneud, dyma'r patrwm:

gweld	→	Gwelid mwy o ddynion llaeth ddeg mlynedd yn ôl *used to be seen*
defnyddio	→	Defnyddid bwrdd du mewn ysgolion ers talwm *used to be used*

Dyma ddau air defnyddiol:

gelli**d**	→	Gellid cael trên o'r Wyddgrug i Ddinbych ers talwm
dyli**d**	→	Dylid anfon y ffurflenni treth yn ôl ar unwaith!

Y presennol a'r dyfodol

trafod	→	Trafodir problemau cefn gwlad yn y Senedd heddiw *are / will be discussed*
perfformio	→	Perfformir drama'r geni gan blant y capel
credu	→	Credir bod 300 o bobl yn y brotest
dysgu	→	Dysgir y plant ar gyfer Eisteddfod yr Urdd gan Miss Roberts
dweud	→	Dywedir bod llawer o bobl yn mwynhau dawnsio llinell
disgwyl	→	Disgwylir eira ar dir uchel heno
cael	→	Ceir rhagor o bapur yn y swyddfa *More paper is to be had...*
gwneud	→	Gwneir llawer o waith da gan Oxfam *Lots of good work is done...*

Newid y bôn

Yn aml, rhaid newid **a** y gorffennol i **e** yn y ffurfiau amherffaith a'r presennol,
e.e. cynhaliwyd → cynhelir:

cynnal	→	Cynhelir Noson Lawen heno
		Cynhelid cyngherddau yn y neuadd ers talwm
		Cynhaliwyd cyngerdd yn y neuadd neithiwr
caniatawyd	→	Caniateir nofio yn y llyn yma

Negyddol

Mewn brawddegau negyddol ffurfiol, rhaid dechrau â **Ni** + treiglad llaes (**Nid** o flaen llafariad). Os nad oes treiglad llaes, mae treiglad meddal.

> Ni chaniateir parcio
> Ni phasiwyd y cynnig
> Ni threfnwyd y parti

Ni fwytwyd y swper
Ni ddysgwyd y darn yn iawn
Ni welwyd y lleidr
Ni laddwyd neb yn y ddamwain
Ni fagwyd Moses gan ei deulu

Idiom ddiddorol: **Nid da lle gellir gwell**

Cyfieithwch yr idiom, yna trafod efo'ch tiwtor.

Tasg - creu brawddegau

Defnyddiwch y sbardunau yma i greu eitemau newyddion:

| Anafu / 200 o bobl / damwain trên / India |
| Agor / tŷ opera newydd / Caerdydd / Bryn Terfel |
| Llosgi / ffatri / Cwmbrân / neithiwr |
| Ennill / Oscar / Rhys Ifans / Hollywood / neithiwr |
| Lladd / tri o bobl / mewn damwain / ar yr M4 / y bore 'ma |

Tasg - newid y darn

Newidiwch y darn i sôn am gyfarfod fydd yn digwydd heno.
Rhaid newid pob gair sy'n gorffen efo **-wyd**. Yna, mi fydd eich tiwtor yn rhoi tasg i chi.

Cynhaliwyd cyfarfod neithiwr i drafod sefydlu caffi cymunedol yn y pentre. Trefnwyd y cyfarfod gan y cyngor. Cynrychiolwyd llawer o gymdeithasau'r ardal. Gwnaethpwyd y te gan Ferched y Wawr a diolchwyd iddyn nhw gan y maer. Gofynnwyd i bawb am eu syniadau am sut i godi arian.

Deialog

A: Wyt ti'n mynd i'r cyfarfod yn neuadd y dre heno?

B: Pa gyfarfod?

A: Y cyfarfod i drafod y ffordd osgoi newydd. Mae'r Aelod Seneddol a'r Aelod Cynulliad wedi addo dŵad.

B: Ydy'r Aelod Seneddol yn medru ffeindio'i ffordd o Lundain?

A: Wel, wyt ti am ddŵad?

B: Dylwn i ddŵad. Dw i'n meddwl bod y ffordd osgoi'n syniad gwych.

A: Sut wyt ti'n medru dweud hynny? Fydd neb yn dŵad i'r dre i siopa, nac i wneud dim byd!

B: Dwyt ti ddim ond yn dweud hynny am dy fod di'n cadw siop!

A: Rhaid i bawb fyw.

B: Ond be' am y loris i gyd? A'r twristiaid ar y ffordd i'r traeth?

A: Wel, mi fydd y siambr fasnach yn cwyno am y cynllun beth bynnag.

B: Dw i'n edrych ymlaen at weld plant y dre'n cerdded i'r ysgol unwaith eto. Mi wela i di yna!

A: Dw i'n difaru mod i wedi dweud wrthot ti am y cyfarfod rŵan.

 Sgwrsio

i. Dach chi'n meddwl bod angen ffordd osgoi yn eich ardal chi?

ii. Meddyliwch am resymau o blaid a rhesymau yn erbyn cael ffordd osgoi yn eich ardal chi.

iii. Dach chi wedi protestio am rywbeth erioed?

 # Darn Darllen

Band Pres Aberwylan

Nos Wener diwetha, cynhaliwyd noson i agor ystafell ymarfer newydd band Aberwylan yng nghanol y pentre. Roedd dros ddau gant o bobl yno. Agorwyd yr ystafell gan yr Aelod Seneddol, Jeff Jones, a oedd yn arfer bod yn aelod o'r band.

Mae traddodiad hir o chwarae mewn bandiau pres yn yr ardal. Sefydlwyd y band yn y tridegau gan weithwyr y pwll glo, i gael mynd i ffwrdd ar benwythnosau. Mi fydd y band yn dathlu saith deg pum mlynedd y flwyddyn nesa.

Roedd y cyngor wedi cael arian o'r Loteri o'r diwedd ar ôl dechrau codi arian ddeg mlynedd yn ôl. Adeiladwyd yr ystafell gan weithwyr lleol.

 Cwestiynau

1. Pam roedd llawer o bobl yn Aberwylan nos Wener?

2. Pam roedd Jeff Jones wedi agor yr ystafell ymarfer?

3. Pam roedd y gweithwyr wedi dechrau'r band?

4. Pam fydd y band yn dathlu y flwyddyn nesa?

5. Pam nad oedd yr ystafell wedi cael ei hagor ddeg mlynedd yn ôl?

Geirfa

Aelod(au) Cynulliad (AC)	-	*Assembly Member(s) (AM)*
Aelod(au) Seneddol (AS)	-	*Member(s) of Parliament (MP)*
amhersonol	-	*impersonal*
band(iau) pres	-	*brass band(s)*
bôn	-	*stem (of verb), trunk (of tree)*
caffi cymunedol	-	*community café*
cefn gwlad	-	*the countryside*
cynrychioli	-	*to represent*
dawnsio llinell	-	*line dancing*
difaru	-	*to regret, to repent*
drama'r geni (b)	-	*Nativity play*
ers talwm	-	*a long time ago, erstwhile, in the past*
ffordd osgoi (ffyrdd osgoi) (b)	-	*bypass(es)*
ffurflen dreth (ffurflenni treth) (b)	-	*tax form(s)*
maer	-	*mayor*
o blaid	-	*in favour of*
sbardun(au)	-	*prompt(s)*
sefydlu	-	*to establish*
siambr fasnach (b)	-	*chamber of trade*
traddodiad(au)	-	*tradition(s)*
trysor	-	*treasure*
ystafell(oedd) ymarfer (b)	-	*rehearsal room(s)*

Gramadeg

Dyma batrwm y berfau amhersonol cyffredin:

Gorffennol:	Gwelwyd y dyn ddoe	*The man was seen yesterday*
	Cynhaliwyd y cyngerdd neithiwr	*The concert was held last night*

Amherffaith:	Gwelid dynion yn garddio ers talwm	*Men used to be seen gardening in the past*
	Cynhelid cyngherddau yn y neuadd yn y ganrif ddiwetha	*Concerts used to be held in the hall in the last century*

Presennol a dyfodol:

	Gwelir pobl yn y dafarn yn aml	*People are often seen in the pub*
	Cynhelir y cyngerdd nos yfory	*The concert will be held tomorrow night*

Cwrs
Canolradd: 14
Uned

Nod: Llongyfarch rhywun a chydymdeimlo

Ymarfer

Llongyfarchiadau ar dy ben-blwydd yn un ar bymtheg oed.
Mi gei di briodi rŵan!
Llongyfarchiadau ar dy ben-blwydd yn ddwy ar bymtheg oed.
Mi gei di yrru car rŵan!
Llongyfarchiadau ar dy ben-blwydd yn ddeunaw oed.
Mi gei di bleidleisio rŵan!
Mi gei di yfed mewn tafarn!

Llongyfarchiadau ar dy ben-blwydd yn   un ar hugain   oed
ddeugain
hanner cant
chwe deg pump
Mi gei di ymddeol rŵan!

Tasg – sgwrsio
Dach chi'n cofio cyrraedd yr oedrannau yma?
Be' wnaethoch chi i ddathlu?
Os dach chi ddim wedi cyrraedd eto,
be' *fyddwch* chi'n wneud i ddathlu?

| 18 oed | 21 oed | 40 oed | 65 oed! |

Ymarfer

Llongyfarchiadau   ar dy swydd newydd
ar dy ddyrchafiad
ar dy ymddeoliad
ar basio dy arholiadau

Llongyfarchiadau   ar enedigaeth eich plentyn
                     ar eich dyweddïad / priodas
                     ar eich priodas aur / arian

Pob hwyl ar y gwyliau!
Pob lwc efo'r symud tŷ!
Dymuniadau gorau efo'r swydd newydd   *best wishes*
Pob dymuniad da yn y coleg   *every good wish*

Tasg - hysbysiadau papur bro

Dyma restr o enwau a ymddangosodd yn y papur bro yn ddiweddar.
Mae pob un ohonyn nhw'n cael ei longyfarch am wahanol resymau.

John
mis Mai
dathlu pen-blwydd
yn 18 oed

Gareth
mis Rhagfyr
chwarae pêl-droed i
Gymru am y tro cynta

Mr a Mrs Owen
mis Hydref
ennill £10,000
ar y Loteri

Gwen
mis Mehefin
cael swydd newydd

Rhian
mis Ionawr
ennill cystadleuaeth
nofio

Siân
mis Awst
pasio lefel A

Mr a Mrs Evans
mis Chwefror
dathlu priodas arian

Mr a Mrs Roberts
mis Mawrth
cael babi

Gofynnwch i'ch partner:

    A: Pam mae enw **John** yn y papur?
    B: Roedd o'n dathlu ei ben-blwydd yn 18 oed ym mis Mai.
    A: Pam mae enw **Siân** yn y papur?

Wedyn dwedwch longyfarchiadau
wrth bob un, e.e.

Llongyfarchiadau Rhian.
Dw i'n clywed / Dw i'n dallt dy fod
ti wedi ennill cystadleuaeth fawr.

Ymarfer

Mae'n ddrwg gen i glywed   am y lladrad *theft*
am y ddamwain *accident*
am dy salwch di *illness*
am dy golled di *loss*
am dy brofedigaeth di
bereavement

Pob cydymdeimlad
Cofia fi at John
Cofia fi ato fo
Cofia fi ati hi
Cofia fi atyn nhw

Tasg - siarad am hysbysiadau'r mis nesa

Yn y papur bro y mis yma mae rhestr o enwau pobl fydd yn gwneud rhywbeth arbennig yn ystod y mis nesa.

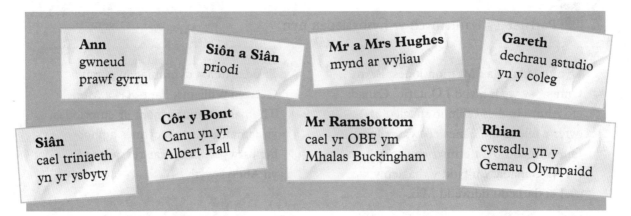

Ann
gwneud prawf gyrru

Siôn a Siân
priodi

Mr a Mrs Hughes
mynd ar wyliau

Gareth
dechrau astudio yn y coleg

Siân
cael triniaeth yn yr ysbyty

Côr y Bont
Canu yn yr Albert Hall

Mr Ramsbottom
cael yr OBE ym Mhalas Buckingham

Rhian
cystadlu yn y Gemau Olympaidd

Gofynnwch gwestiynau i'ch partner, e.e.

  A: Pam mae enw Ann yn y papur?

  B: Mi fydd hi'n cymryd ei phrawf gyrru y mis nesa.

  B: Pam mae enwau Mr a Mrs Hughes yn y papur?

Tasech chi'n cyfarfod y bobl yma, be' fasech chi'n ddweud?

Gobeithio y byddi di'n gwella'n fuan Siân ar ôl dy driniaeth ac yn cael dŵad adre cyn bo hir.

Deialog

Darllenwch y ddeialog efo'ch partner.
Dach chi'n mynd i weld ffrind yn yr ysbyty.

A: O! Helo. Ers pryd wyt ti yn yr ysbyty?

B: Mi ddes i yma neithiwr.

A: Wel, be' ddigwyddodd?

B: Mi wnes i dorri fy nghoes yn chwarae pêl-droed / pêl-rwyd brynhawn ddoe.
Ro'n i mewn poen ofnadwy.

A: Sut dest ti i'r ysbyty?

B: Mi ges i lifft gan gapten y tîm.

A: Mae'n ddrwg gen i glywed am y ddamwain.

B: Dw i'n iawn rŵan, ond mi fydda i'n cael triniaeth yfory.

A: Gobeithio byddi di'n well. Mi ddo i i'r ysbyty eto i dy weld di ddydd Sadwrn.

Rŵan newidiwch fanylion y ddamwain.

Darn Darllen

Partner 1 - Darllenwch yr hysbysiadau hyn.

Dymuniadau da i Meirion Jones, Bryn Onnen, sy wedi mynd i Ontario, Canada efo Alun Hughes i ffilmio rhaglen ar gyfer y teledu am hanes ei ewythr John Jones. Roedd o'n ffermwr enwog, a aeth i fyw i Ganada. Mi fydd y rhaglen yn cael ei darlledu ddiwedd Mai.

Priodas dda a dymuniadau gorau i Gerwyn Williams, Pant-glas a Meriel Thomas, Cwmbrwynant ar eu priodas yn Jamaica. Croeso cynnes a phob hapusrwydd yn eu cartref newydd yn Aberystwyth.

Llongyfarchiadau i Lyn a Gwen, Blaen-cwm, ar enedigaeth mab bach, Guto Lewys, ail ŵyr i Rhys a Wini, Erw-lon.

Llongyfarchiadau i Tabitha Davies, Bwthyn Bach, Llanilltud ar ddathlu ei phen-blwydd yn wyth deg a phump oed ac am lanhau Eglwys Llanilltud am hanner can mlynedd.

Partner 2 - Gofynnwch y cwestiynau yma i bartner 1.

1. I le aeth Meirion Jones?
2. Pwy aeth efo fo?
3. Pwy oedd John Jones?
4. Lle priododd Gerwyn a Meriel?

5. Lle mae Gerwyn a Meriel yn byw rŵan?
6. Be' mae Tabitha Davies yn ei ddathlu?
7. Lle oedd Tabitha yn glanhau?
8. Pwy ydy Guto Lewys?

 Tasg - sgwrs mewn sefyllfa

A: Mae eich ffrind gorau (B) newydd golli ei waith/gwaith yn y ffatri leol.
Mi ddwedodd rheolwr y ffatri y newyddion drwg wrtho fo/wrthi hi ddoe. Dach chi'n ffonio
eich ffrind i gydymdeimlo efo fo/hi.

B: Mi wnaethoch chi brynu ci bach newydd i'r teulu ddau fis yn ôl. Yn anffodus, tua
wythnos yn ôl, mi aeth y ci ar goll. Dach chi'n ffonio'r heddlu (A) i ofyn am help ac i roi
disgrifiad o'r ci iddyn nhw. Mae'r heddlu'n cydymdeimlo efo chi, ond yn anffodus dyn
nhw ddim yn medru eich helpu chi.

 Sgwrsio

Dach chi'n mwynhau dathlu? (e.e. pen-blwyddi, y Nadolig).
Dach chi wedi dathlu rhywbeth mawr yn y blynyddoedd diwethaf?
Sut dach chi'n dathlu Nos Galan fel arfer?
Dach chi wedi bod yn yr ysbyty erioed?

Geirfa

colled(ion) (b)	- *loss(es)*			
cydymdeimlad	- *sympathy*			
cydymdeimlo	- *to sympathise*			
darlledu	- *to broadcast*			
disgrifiad(au)	- *description(s)*	priodas aur /		
dyrchafiad	- *promotion*	arian (b)	-	*golden / silver wedding*
dyweddïad	- *engagement*	profedigaeth(au) (b)	-	*bereavement(s)*
genedigaeth(au) (b)	- *birth(s)*	triniaeth(au) (b)	-	*treatment(s),*
hapusrwydd	- *happiness*			*operation(s)*
hysbysiad(au)	- *notice(s)*	ymddangos	-	*to appear*
lladrad	- *theft*	ymddeoliad	-	*retirement*
prawf gyrru	- *driving test*	yn ddiweddar	-	*recently*

dynes

gwraig/
menyw

Tafodiaith!

Cwrs Canolradd: Uned 15

Nod: Adolygu ac ymestyn

 ### Adolygu – cwestiynau

Gofynnwch y cwestiynau yma i'ch partner:

i.   Lle gaethoch chi eich geni?
ii.   Lle gaethoch chi eich magu?
iii.   O le mae eich teulu chi'n dŵad yn wreiddiol?
iv.   Be' oedd y peth diwetha i chi ei ddathlu efo'r teulu neu ffrindiau?
v.   Sut dach chi'n dathlu pethau fel arfer?
vi.   At be' dach chi'n edrych ymlaen ar hyn o bryd?

Llenwi bylchau

Siop Newydd i Gwm-du

_____ (cael) pawb yn ardal Cwm-du eu plesio'n fawr yr wythnos yma _____ y newyddion fod siop y pentre wedi _____ ei hachub. Yn gynharach y flwyddyn yma _____ (credu) bod y siop ar fin cael ei _____ (cau). Roedd y Bostfeistres, Mrs Gwladys Rowlands, yn ymddeol, a doedd y Swyddfa Bost ddim yn awyddus i'w _____ (cadw) ar agor. _____ (trefnu) deiseb ar frys, a chafodd hi ei _____ (arwyddo) gan bawb yn y pentre.

Roedd hyn, yn ôl Mr Twm Tomos, cadeirydd pwyllgor Cadwch y Siop yn dweud _____ y Post fod angen y siop ar y pentre, yn enwedig yr henoed a phobl sydd heb gar.

Mi siaradodd grŵp o bobl y pentre _____ rheolwyr y Swyddfa Bost, a _____ (penderfynu) prynu'r siop. _____ (gobeithio) gwerthu llawer o gynnyrch lleol, fel iogwrt organig a'r caws sy'n _____ ei wneud yn ffatri 'Caws y Cwm.' Mae ffermwyr yr ardal hefyd yn edrych ymlaen _____ gael cyfle i werthu eu cig, wyau, ffrwythau a llysiau yn lleol. Mi fydd un stondin o gynnyrch cartref - jam, cacennau, bara brith ac yn y blaen, yn _____ ei threfnu gan Ferched y Wawr Cwm-du hefyd.

O ddydd Llun i ddydd Gwener mi fydd Miss Mair Morgan yn rhedeg y siop a'r Post. Hi oedd yn rhedeg Post Rhyd-las am ugain mlynedd ond _____ ei gwneud yn ddi-waith y llynedd pan _____ (cau) y Post. Mae hi wrth ei bodd yn dŵad yn ôl i'r ardal i weithio ond mae'n awyddus i gael pob penwythnos yn rhydd. Felly, fydd Swyddfa'r Post ddim yn cael ei _____ ar ddydd Sadwrn, ond mi fydd y siop ar agor drwy'r dydd, a grŵp o bobl y pentref yn gweithio yno mewn rota.

_____ (agor) y siop yn swyddogol ar Ddydd Gŵyl Dewi. Pob _____ i bawb sy'n rhan o fenter Siop Cwm-du!

 **Sgwrsio**

i.   Dach chi'n hoffi siopa mewn siopau bach lleol?
ii.   Dach chi'n prynu cynnyrch lleol o gwbl?
iii.   Pam dach chi'n meddwl ei bod hi'n bwysig cael siop mewn pentre?

Gwrando

Gwrandewch ar y bwletin newyddion ac ateb y cwestiynau yma.
Mi fydd eich tiwtor yn eich helpu chi.

1. Faint o bobl gafodd eu lladd yn y ddamwain?
    _____

2. Pryd fydd swyddi newydd yn dŵad i ardal Wrecsam?
    _____

3. Pam roedd y Prif Weinidog yn Abertawe?
    _____

4. Pam roedd y dynion wedi cael eu harestio?
    _____

5. Be' oedd y sgôr ar ddiwedd y gêm?
    _____

6. Sut fydd y tywydd yfory?
    _____

Tasg – adolygu llongyfarch a chydymdeimlo

Be' fasech chi'n ddweud wrth y bobl yma?

Mae fy nhaid wedi marw

Ted

Dw i ac Edna'n mynd i briodi!

Ffred

Hwrê, dw i'n chwe deg pump heddiw!

Elinor

Dw i wedi pasio! Dw i'n cael gyrru rŵan!

Sandra

Mae rhywun wedi dwyn car Delyth!

Carlo

Tasg – adolygu arddodiaid

Efo'ch partner, meddyliwch am gwestiynau i'w gofyn mewn ymateb i'r brawddegau. Rhaid dechrau efo'r gair bach mewn print tywyll, e.e.

Dw i'n chwilio **am** y cerdyn credyd. **C:**   **Am** beth wyt ti'n chwilio?

i.   Dw i'n anfon tecst **at** fy ffrind.   **C:**   **At** _____ ?

ii.   Mae hi'n siarad **am** y tywydd.   **C:**   **Am** _____ ?

iii.   Maen nhw'n edrych **ar** y rhaglen.   **C:**   **Ar** _____ ?

iv.   Dw i wedi dweud **wrth** Angela.   **C:**   **Wrth** _____ ?

v.   Dan ni'n disgwyl **am** y trên.   **C:**   **Am** _____ ?

vi.   Mae o'n mynd **i** Abertawe.   **C:**   **I** _____ ?

Darn Darllen

CYMDEITHAS RHIENI
Ysgol Aberwylan

Trefnir noson o chwarae CHWIST i godi arian at daith y plant i Stadiwm y Mileniwm yn yr haf

Gwobrau hael: bisgedi, gwin ac ati - diolch i siop Jones&Jones a'r gantores leol Gwynona Morris

Cost: £6 y pen i gael chwarae cardiau (dim ond £2 i aelodau'r Gymdeithas) Does dim angen profiad i chwarae chwist!

Gwerthir tocynnau raffl yn ystod yr egwyl a bydd te a choffi ar gael am ddim

Neuadd yr Ysgol, 5 Chwefror 2007 am 6.30 yr hwyr. Croeso i bawb!

Atebwch y cwestiynau yma - heb edrych ar yr hysbyseb!

1. Pam mae'r Gymdeithas isio pres?

_____

2. Pwy sy wedi rhoi'r gwobrau i'r noson?

_____

3. Pwy fydd yn cael chwarae chwist am bris llai?

_____

4. Ar wahân i chwarae chwist, sut mae'r Gymdeithas yn mynd i godi arian ar y noson?

_____

5. Pryd mae'r noson?

_____

6. Pwy sy'n cael dŵad i'r noson?

_____

 Geirfa

tipyn

tamaid

Tafodiaith!

ar fin	-	on the point of, about to
arwyddo	-	to sign
awyddus	-	keen, eager
cadeirydd(ion)	-	chairman/men, chairperson(s)
cantores(au) (b)	-	singer(s) (female)
cynnyrch	-	produce
chwist	-	whist
deiseb(au) (b)	-	petition(s)
egwyl (b)	-	interval
gwobr(au) (b)	-	prize(s)
hael	-	generous
henoed	-	elderly people
hysbyseb(ion) (b)	-	advertisement(s)
menter (mentrau) (b)	-	enterprise(s)
plesio	-	to please
profiad(au)	-	experience(s)
Stadiwm y Mileniwm	-	Millennium Stadium
tipyn/tamaid	-	a little bit
yn enwedig	-	especially

Cwrs Canolradd: Uned 16

Nod: Disgrifio llefydd a phobl

Dyma restr o eiriau defnyddiol i ddisgrifio be' dach chi'n feddwl o unrhyw beth
- o'r gorau i'r gwaethaf:

**ardderchog
bendigedig
gwych**

da (iawn)

**dim yn (rhy)
ddrwg
gweddol
go lew**

**dim yn
(rhy) dda**

diflas

**gwael
anobeithiol
ofnadwy**

 Gofynnwch y cwestiynau yma i'ch partner.
Mi fydd eich tiwtor yn rhoi dis i chi ddewis yr ateb.

Sut wyt ti'n teimlo heddiw/heno?
Sut oedd y parti diwetha est ti iddo?
Sut oedd y pryd bwyd diwetha wnest ti fwyta?

Tasg – trafod penwythnos mewn dinas

Efo'ch partner, trafodwch y penwythnos gaethoch chi.
Gofynnwch y cwestiynau ar y chwith i'ch partner a dewiswch un
gair o'r golofn ar y dde wrth ateb. Cofiwch y treiglad ar ôl **yn** / **'n**.

Cwestiwn	Ateb
Sut oedd y daith?	cyflym, araf, anobeithiol
Sut oedd y gwesty?	crand, cyfleus, prysur, tawel, distaw, swnllyd, blêr, budr, ofnadwy, drud, rhesymol, rhad
Sut oedd y tywydd?	berwedig, cynnes, braf, cyfnewidiol, gwlyb, ofnadwy
Sut oedd y lle?	gwych, diddorol, prysur, diflas
Sut oedd y bwyd?	blasus, drud, diflas, ofnadwy

I raddoli'r gair – i wneud y gair yn gryfach neu'n llai cryf - defnyddiwch :

_____ dros ben

_____ iawn

eitha _____ (dim treiglad)

gweddol _____ (treiglad meddal)

braidd yn _____ (treiglad meddal)

Tasg - disgrifio pobl

Meddyliwch am athro neu athrawes oedd yn eich dysgu chi yn yr ysgol. Disgrifiwch y person i'ch partner. Disgrifiwch olwg a phersonoliaeth y person.

Dyma rai geiriau i'ch helpu chi:

Golwg	Personoliaeth
byr, tal	hwyliog , blin
tew, tenau	caredig, ffeind, cas
gwisgo sbectol	amyneddgar, diamynedd
moel	mwyn, llym
gwallt hir, byr	siaradus, swil
llygaid glas, brown	cegog, tawedog

Tasg - trafod tai

Dach chi a'ch partner yn chwilio am dŷ ar gyfer ffrind sy'n symud i'r ardal. Mae gan y ffrind un plentyn. Mae un ohonoch chi wedi gweld tŷ A, y llall wedi gweld tŷ B. Rhaid i chi drafod pa un ydy'r gorau i'ch ffrind.

Tŷ A	Y tŷ	Yr ardal
	Tŷ bychan, un llawr, wedi'i beintio yn ddu a gwyn. 2 stafell wely, stafell ymolchi. Cegin angen ei moderneiddio. Gwres canolog olew. Carpedi ar y llawr. Lolfa/lle bwyta mawr. Dim garej. Gardd fach. Golygfa fendigedig o'r mynyddoedd o gwmpas. Y tŷ yng nghanol y dref, gyferbyn â'r parc.	Tref fechan, dim yn rhy fawr. Digon o siopau fel Boots, Marks & Spencer. Dewis o ysgolion - Cymraeg a Saesneg. Canolfan chwaraeon drws nesaf i'r ysgol uwchradd Gymraeg. Ffordd brysur trwy ganol y dref - lorïau yn mynd a dŵad o'r pwll glo. Ysbyty newydd yn cael ei adeiladu.

[handwritten annotations: "i storey", "opposite"]

Tŷ B

Y tŷ
Tŷ mawr, newydd. 2 filltir
o ganol pentref bach, distaw.
4 ystafell wely, cegin fawr,
2 ystafell molchi, lolfa;
ystafell fwyta.
Garej dwbl. Gwres canolog.
Gardd fawr a golygfa
fendigedig i lawr y dyffryn.
Fferm ieir led cae i ffwrdd.

Yr ardal
Pentre cyfeillgar. Llawer
o bobl wedi symud i mewn.
Un siop fach. Tafarn ac eglwys.
Yr ysgol wedi cau. Chwe
milltir i'r dre agosa.

Rŵan llenwch y daflen efo gwybodaeth am y ddau dŷ.

Enw	Tŷ Partner A	Tŷ Partner B
Maint (*Size*)	Tŷ bychan	
Lleoliad (*Location*)	Yng nghanol y dref	
Ystafell wely	2	
Cegin	cegin hen ffasiwn	
Ystafell molchi	Dim ond un	
Lolfa	efo'i gilydd	
Ystafell fwyta		
Garej	Dim garéj	
Gardd	Gardd fach	
Gwres	Gwres canolog olew	
Yn ymyl y tŷ	Parc	
Yr ardal	Tref fechan	

Ar ôl i chi benderfynu, deudwch wrth weddill y dosbarth, ac esboniwch eich dewis,
e.e. **Mi faswn i'n dewis...**

👥 Deialog   Swyddfa Heddlu Cwm-du

A: Noswaith dda Syr/Madam. Sut fedra i'ch helpu chi?

B: Noswaith dda cwnstabl. Mae rhywbeth ofnadwy wedi digwydd. Dw i wedi colli fy nghar.

A: Wedi ei golli fo? Sut?

B: Wel, mi es i i fy nosbarth Cymraeg fel arfer a phan gyrhaeddais i'r maes parcio roedd o wedi mynd!

A: Dach chi'n siŵr eich bod chi'n cofio lle wnaethoch chi'i barcio fo?

B: Ydw wrth gwrs, yn yr un lle ag arfer bob wythnos ers tair blynedd ar wahân i wyliau ysgol.

A: Oedd 'na rywbeth i'w weld lle dach chi'n parcio fel arfer?

B: Nac oedd - ar wahân i wydr wedi torri ar y llawr.

A: Mae'n ddrwg iawn gen i ddweud Syr/Madam ond mae'n debyg fod eich car wedi cael ei ddwyn.

B: Wedi cael ei ddwyn!? Pam dach chi'n meddwl hynny?

A: Wel, mae pawb yn gwybod bod maes parcio'r dosbarth Cymraeg yn lle gwych i ddwyn ceir.

B: Pam?

A: Mae pawb mor brysur yn canolbwyntio ar y treigladau, dyn nhw ddim yn clywed ffenestri yn cael eu torri a cheir yn cael eu gyrru i ffwrdd ar frys.

B: O nefoedd!

A: Wel, gwell i ni gael manylion am y car. Pa fêc ydy'r car?

B: Morgan wrth gwrs.

A: Pa liw ydy o?

B: Gwyn at y ffenest a gwyrdd i'r gwaelod - a draig goch wedi ei pheintio ar y bonet.

A: Be' ydy rhif y car?

B: CYM 1.

A: Be' am ei gyflwr o?

B: Perffaith, wrth gwrs. Dim crafiad, glân - fel pin mewn papur.

A: Rhywbeth arall i'n helpu ni i'w ffeindio fo?

B: Wel, dydy'r radio ddim ond yn gallu derbyn Radio Cymru a dydy'r Cryno Ddisg ddim ond yn chwarae disgiau cyrsiau Cymraeg.

A: Diolch yn fawr am eich disgrifiad manwl.

B: Dach chi'n meddwl bod gen i obaith i gael fy nghar yn ôl?

A: Faswn i ddim yn disgwyl gormod - mae cymaint o bobl yn berchen car sy'n ateb y disgrifiad yna!

Rŵan, rhaid i un ohonoch chi ddisgrifio eich car chi i'r plismon, ac wedyn newid rôl! Byddwch yn onest am gyflwr eich car a be' yn union sy ynddo fo ar hyn o bryd!

Darn Darllen

Anti Nansi

Gwraig fach oedd Anti Nansi. Roedd gynni hi wallt gwyn, yn syth, bron at ei hysgwyddau, a sbectol dew. Roedd hi dros wyth deg oed pan wnes i ei chyfarfod hi am y tro cyntaf. Naw oed o'n i. Yn yr Eisteddfod Genedlaethol oedd hi. Ro'n i'n hanner chwarae telynau mewn pabell oedd yn eu gwerthu. Mi ddaeth hen wraig i'r babell yn gwisgo siaced frethyn a dechrau canu'r delyn yn wych - pob math o hen alawon. Ro'n i wedi clywed ambell un o'r blaen, ond dim llawer ohonyn nhw. Mi glywais i rywun yn dweud: 'Dydy Nansi ddim wedi colli mymryn o'i thalent.'

Dw i ddim yn cofio sut wnaethon ni sylweddoli ein bod ni'n perthyn i'n gilydd. Y peth pwysig ydy ein bod ni wedi treulio'r wythnos i gyd yn canu'r delyn efo'n gilydd. Roedd ei dwylo hi'n hen, ond roedden nhw'n symud yn gynt na dwylo unrhyw un arall a welais i erioed. Er mai dim ond ers blwyddyn o'n i'n dysgu canu'r delyn roedd gen i ddigon o brofiad i ddilyn fy modryb, ac mi wnes i ddysgu llawer o ganeuon gwerin ac ambell ddawns sipsi. Mi ddwedodd hi hanes y sipsiwn, ei ffrindiau, wrtha i - ac roedd hi'n sôn llawer am y tylwyth teg. Roedd hi'n dweud ei bod hi'n eu nabod yn iawn beth bynnag! Ro'n i'n ei chredu hi. Wedyn, mi es i i'w gweld hi yn ei chartref lle roedd tân coed yn llosgi. Roedd gynni hi hen dŷ diddorol ym Mhen-y-bont-fawr yng nghanolbarth Cymru. Roedd pobl ddiddorol yn dŵad i'w gweld. Ond, Anti Nansi oedd y ddynes fwya diddorol i mi ei chyfarfod erioed. Chlywais i erioed gymaint o storïau gan neb. Roedd hi'n llawn hwyl a direidi, fel plentyn. Efallai ei bod hi wedi aros fel plentyn am nad oedd hi erioed wedi bod yn fam.

Pan fuodd hi farw roedd ei hangladd o gwmpas adeg y Nadolig. Cafodd ei chladdu yn eglwys Pennant Melangell, mewn cwm prydferth a thawel. Roedd eira ym mhob man, ond doedd neb yn y fynwent fach yn sylwi ei bod hi'n oer. Roedd yr holl bobl oedd yna'n cofio amdani hi ac yn teimlo'n gynnes a chysurus, ac yn falch eu bod nhw wedi ei nabod hi.

Eirian Conlon

Efo'ch partner, ysgrifennwch bopeth dach chi'n wybod am Anti Nansi, yn eich geiriau eich hunain.

 Sgwrsio   Disgrifiwch hen berson o'ch teulu chi, e.e. nain, taid.
Sut oedd o/hi'n edrych?
Sut oedd o/hi'n gwisgo?
Disgrifiwch ei dŷ/ei thŷ. Oedd pethau diddorol yn y tŷ?
Be' dach chi'n gofio am eich perthynas?

Sgwrs mewn sefyllfa

Mae Partner A yn ceisio gwerthu tŷ, felly mae'n mynd at y Swyddfa Gwerthwyr Tai. Rhaid i A ddisgrifio'r tŷ yn fanwl i B (ac yn onest). Wedyn newidiwch rôl.

Geirfa

angladd(au)	-	funeral(s)
alaw(on) (b)	-	melody (-ies)
amyneddgar	-	patient
anobeithiol	-	hopeless
ateb y disgrifiad	-	to match the description
berwedig	-	boiling
brethyn	-	cloth
cân werin (caneuon gwerin) (b)	-	folk song(s)
canu'r delyn	-	to play the harp
cegog	-	chopsy
cyfleusterau	-	facilities
cyflwr	-	condition
cyfnewidiol	-	changeable
diamynedd	-	impatient
direidi	-	mischief
dros ben	-	extremely (yn dilyn ansoddair, e.e. braf dros ben)
dyffryn(noedd)	-	valley
fel pin mewn papur	-	spick and span
go lew	-	fair, fairly
graddoli	-	to qualify, to graduate
gwerthwr tai (gwerthwyr tai)	-	auctioneer(s)
gwres canolog	-	central heating
hwyliog	-	jolly
iâr (ieir) (b)	-	hen(s)
led cae i ffwrdd	-	a field away
lleoliad(au)	-	location(s)
llym	-	strict
llysenw(au)	-	pseudonym, nickname
moderneiddio	-	to modernise

moel	-	bald
mwyn	-	gentle
mymryn	-	the slightest bit
mynwent(ydd) (b)	-	graveyard(s)
rhesymol	-	reasonable
siaradus	-	talkative
sipsi (sipswn)	-	gypsy (gypsies)
swil	-	shy
sylweddoli	-	to realise
tawedog	-	quiet, taciturn
tylwyth teg	-	fairies

cyflym clou

Tafodiaith!

Gramadeg

Erbyn hyn, dach chi wedi arfer efo brawddegau fel:

Mae'r car wedi cael ei ddwyn

Mae o wedi cael ei beintio'n ddu a gwyn

Dw i wedi cael fy synnu

Weithiau, mi fyddwch chi'n clywed brawddegau fel hyn efo 'wedi' heb y gair 'cael':

Mae'r car wedi ei ddwyn

Mae o wedi ei beintio'n ddu a gwyn

Dw i wedi fy synnu

Does dim gwahaniaeth yn yr ystyr.

Cwrs Canolradd: Uned 17

Ymarfer - gorchmynion tiwtor creulon!

Trowch y rhain yn orchmynion i **chi**. Rhaid i chi roi **-wch** ar y diwedd!

Siarad am y penwythnos	Ateb y cwestiynau
Agor eich llyfrau	Ysgrifennu llythyr fel gwaith cartref
Dysgu y geiriau yma	Cofio gwneud eich gwaith cartref
Treiglo ar ôl i ac o	Peidio anghofio
Darllen y darn yma	

Y tro yma, newidiwch y rhain yn orchmynion **ti**. Rhaid i chi roi **-a** ar y diwedd.

Ymarfer

Dydy pob berf ddim yn dilyn y patrwm. Efo'ch partner, newidiwch y rhain
yn orchmynion **chi**, yna **ti**.

Rhoi'r llyfrau ar y ddesg	-	Rhowch...	Rho...
Troi i dudalen saith	-	Trowch...	Tro...
Dŵad i barti'r dosbarth	-	Dewch...	Tyrd... (Ty'd...)
Mynd i'r cwrs penwythnos	-	Cerwch... / Ewch...	Cer.../Dos...
Gwneud y gwaith cartre	-	Gwnewch...	Gwna...
Mwynhau'r gwyliau	-	Mwynhewch...	Mwynha...
Gwrando ar y radio	-	Gwrandewch...	Gwranda...

 **Tasg - rhoi cyfarwyddiadau**

Esboniwch i'ch partner:	**Sut i argraffu rhywbeth ar y cyfrifiadur.**
neu	**Sut i symud car o'r maes parcio.**
neu	**Sut i goginio rhywbeth.**

Ymarfer

Os dach chi am ofyn yn fwy cwrtais
mi fedrwch chi ddefnyddio'r patrwm
Wnewch chi... neu **Wnei di...**

> Wnei di gau'r drws i mi?
> Wnei di ofyn rhywbeth i'r tiwtor?
> Wnewch chi recordio'r rhaglen i mi?
> Wnewch chi ddarllen hwn?
> Gwnaf / Na wnaf

Tasg - gorchmynion

Dyma ddarn o gyngor
i bobl sy'n ymweld â chefn
gwlad Cymru. Efo'ch partner,
newidiwch y pethau **dylech chi**
eu gwneud yn orchmynion, e.e.
Gwyliwch rhag...

Tasg - sut i wella'ch bywyd

Efo'ch partner, penderfynwch
ar restr o gynghorion i bobl
ar sut i wella eu bywydau.
Ysgrifennwch be' i'w wneud
ar y chwith a be' i beidio
gwneud ar y dde, e.e. yfwch
ddigon o ddŵr; peidiwch smygu.

Dilynwch y Cod Cefn Gwlad

Mwynhewch y wlad a pharchwch ei bywyd a'i gwaith

Dylech chi

- wylio rhag peryglon tân
- gau pob giât
- gadw eich cŵn dan reolaeth
- gadw at lwybrau cyhoeddus wrth groesi tir ffermio
- ddefnyddio giatiau i groesi ffensys, cloddiau a waliau
- adael llonydd i anifeiliaid, cnydau a pheiriannau
- fynd â'ch sbwriel adre efo chi
- helpu i gadw afonydd yn lân
- gymryd gofal o goed, creaduriaid a phlanhigion gwyllt
- fod yn ofalus iawn ar ffyrdd gwledig
- beidio creu sŵn yn ddiangen

Be' i'w wneud	Be' i beidio gwneud

👥 Deialog

Yma, mae plentyn (A) yn mynd â'i
fodryb (B) i'r pwll nofio am y tro cynta.

A: Dewch i mewn, brysiwch!

B: Lle dan ni'n talu?

A: Fa'ma - edrychwch! 'Talwch yma!'

B: Iawn. Un oedolyn ac un plentyn os gwelwch yn dda. Reit, tyrd yn dy flaen.
Lle mae'r stafelloedd newid?

A: Dewch efo fi. Dyma nhw.

B: Sut mae'r cypyrddau yma'n gweithio?

A: Rhowch y 50c yn fa'ma.

B: Dydy o ddim yn cloi.

A: Tynnwch y drws atoch chi a throwch yr handlen.

B: Hwrê! Mae'n gweithio rŵan ....

A: Tynnwch eich sanau!

B: Ych! Dw i ddim yn licio traed gwlyb.

A: Brysiwch!

B: 'Cymerwch gawod cyn mynd i'r dŵr.' Pam?

A: Dim syniad. Does dim ots!

B: Gwell i ni wneud. Aw! Mae'n oer ofnadwy.

A: Dewch i'r rhan fas gynta. O na! Peidiwch! Darllenwch yr arwydd!

B: Pa arwydd? 'Peidiwch â deifio.' Rhy hwyr.

A: Wel, peidiwch gwneud hynny eto.

[Ar ôl pum munud]

A: Ha ha! Dach chi'n edrych fel llyffant.

B: Diolch yn fawr. Nofia di fel hyn hefyd.

A: Na wna i wir - helpwch fi i nofio ar fy nghefn. Dim fel 'na, daliwch fi dan fy nghefn...

B: Fedra i ddim wir. Dw i isio paned o de rŵan. Tyrd allan!

A: Ga i aros am bum munud arall, plîs?

B: Na chei. Gwranda arna i!

A: Iawn, os cawn ni fynd i'r caffi.

B: Tyrd i gael cawod. Golcha dy wallt yn iawn!

A: Rhowch arian i mi sychu fy ngwallt efo'r sychwr wedyn.

B: Cofia sychu dy draed yn iawn.

A: Dewch â thipyn o'r talc 'na i mi 'ta!

B: Bydda'n ofalus... O na! Edrycha ar fy nghot ddu i!

A: Dyna'r tro olaf dw i'n mynd i nofio efo chi!

Rŵan newidiwch y gorchmynion i **chi** yn orchmynion i **ti**.

Sgwrsio

Cyngor i ymwelwyr!

Meddyliwch am rywle diddorol dach chi'n nabod yn dda. Mae eich partner yn ymweld â'r lle am y tro cynta. Rhowch gyngor iddo/iddi ynglŷn â sut i gael amser da. Dwedwch wrth eich partner am y pethau diddorol i'w gweld, y pethau diddorol i'w gwneud, y pethau diddorol i'w prynu, eu bwyta a'u hyfed. Yna, gofynnwch i'ch partner am gyngor am ymweld â rhywle mae o/hi'n ei nabod yn dda.

 Sgwrs mewn sefyllfa

Dach chi a'ch partner yn mynd i edrych ar ôl plentyn bach drwg am ddiwrnod a noson. Gwnewch restr o orchmynion defnyddiol, e.e. **paid...**, **cer i...**, **gwna...**, **golcha dy...**, **taclusa dy...** Wedyn, bydd pawb yn y dosbarth yn cymharu gorchmynion.

Geirfa

argraffu	-	*to print*
bas	-	*shallow*
clawdd (cloddiau)	-	*bank(s), hedge(s)*
cnwd (cnydau)	-	*crop(s)*
creadur(iaid)	-	*creature(s), animal(s)*
creu	-	*to create*
cyfarwyddyd (cyfarwyddiadau)	-	*instruction(s)*
cymharu	-	*to compare*
dan reolaeth	-	*under control*
diangen	-	*unnecessary*
gadael llonydd	-	*to leave alone, to let be*
gorchymyn (gorchmynion)	-	*command(s)*
gwylio rhag	-	*to take care not to or in case of*
llwybr(au) cyhoeddus	-	*public footpath(s)*
llyffant(od)	-	*toad(s), frog(s)*
planhigyn (planhigion)	-	*plant(s)*
rhan fas (rhannau bas) (b)	-	*shallow part(s)*

ty'd!

dere!

Tafodiaith!

Cwrs Canolradd: Uned 18

Nod: Trafod rhaglenni teledu

 Sgwrsio

Mewn grwpiau, trafodwch y math o raglenni dach chi'n eu gwylio ar y teledu fel arfer.

> Dw i'n mwynhau...
> Dw i wrth fy modd efo...
> Dw i'n meddwl bod ...... yn ddiddorol.
> Mae'n gas gen i ......
> Dw i'n meddwl bod...... yn ddiflas.
> Fy hoff raglen i ar hyn o bryd ydy ...
> Pa fath o raglenni dach chi'n eu mwynhau?

Tasg - mathau o raglenni

Math o raglen	Cymraeg	Saesneg
Cwisiau		
Dramâu		
Operâu sebon		
Dogfen		
Cerddoriaeth		
Natur		
Coginio		
Garddio		
Adloniant ysgafn		
Comedi		
Rhaglenni plant		
Teithio		
Chwaraeon		
Newyddion a materion cyfoes		

Dyma raglenni sy wedi bod ar S4C yn y blynyddoedd diwetha. Efo'ch partner, penderfynwch i ba gategori mae'r rhaglen yn perthyn. Dach chi'n gallu meddwl am raglen Saesneg sy'n debyg?

> *Tipyn o Stad, Clwb Garddio, Con Passionate, Dudley, Ffeil,*
>
> *O Flaen dy Lygaid, Dechrau Canu, Dechrau Canmol, Pacio,*
>
> *Pobol y Cwm, Risg, Sgorio, Teithiau Iolo, Uned 5, Wedi 7.*

Efo'ch partner, penderfynwch pa raglenni o'r rhestr:

     i.   basech chi'n mwynhau eu gweld
    ii.   basech chi'n eu gwylio tasen nhw'n digwydd bod ymlaen
   iii.   fasech chi byth yn eu gwylio

Deialog

A: Helo. Rhaglen Cartref Newydd!

B: Helo, Bethan sy 'ma, tiwtor dosbarth Cymraeg Coleg Llanaber.

A: Sut fedra i'ch helpu chi?

B: Wel, meddwl y medrech chi wella ein 'stafell ddosbarth.

A: Diddorol iawn! Lle dach chi'n cynnal eich dosbarth?

B: Mewn 'stafell gyffredin yn y coleg. Ond dw i'n siŵr y medrech chi ei gwneud hi'n fwy diddorol.

A: Am be' yn union dach chi'n chwilio?

B: Wel, mi fasai wal fideo'n braf i ddangos rhaglenni gwych S4C.

A: Iawn... wal fideo. Rhywbeth arall?

B: Ro'n i'n meddwl y medrech chi a'r tîm cynllunio feddwl am bethau eraill.

A: Be' am y dosbarth, fasen nhw'n mwynhau bod ar raglen deledu?

B: Mi fasen nhw wrth eu bodd yn cael eu ffilmio mewn dosbarth, dw i'n siŵr.

A: Iawn. Gyda llaw, oeddech chi'n gwybod bod Laurence Llewelyn Bowen wedi bod ar gwrs WLPAN? Mae gynno fo syniadau pendant iawn am addurno 'stafelloedd dosbarthiadau Cymraeg...

Mewn grwpiau, meddyliwch sut basech chi'n trawsnewid eich ystafell ddosbarth i wneud lle perffaith i chi ddysgu Cymraeg! Rhaid i un ohonoch fod yn gynllunydd y rhaglen, un yn gyflwynydd, un yn diwtor a'r gweddill ohonoch chi fod yn gynrychiolwyr y dosbarth. Gwnewch 'ddrama' fach a'i chyflwyno i hanner arall y dosbarth!

📖 Darn Darllen

Hanes S4C

Ar y cyntaf o Dachwedd 1982, dechreuodd S4C ddarlledu rhaglenni Cymraeg. Cafodd Channel 4 ei lansio yr un pryd, ac roedd y rhaglenni Cymraeg yn ystod yr oriau poblogaidd, a rhaglenni Channel 4 Lloegr yn ystod gweddill y dydd. Roedd pobl wedi bod yn trafod pryd a sut dylai rhaglenni Cymraeg gael eu dangos ar y teledu ers blynyddoedd. O'r diwedd roedd pobl Cymru'n gwybod lle a phryd i fynd i weld rhaglen yn Gymraeg.

Cyn 1982 roedd rhai rhaglenni Cymraeg ar BBC Cymru/Wales ac ar HTV Cymru/Wales. Ond doedd dim trefn arbennig ar amserlen rhaglenni Cymraeg, ac yn aml roedden nhw ar amserau od iawn! Ond yn ystod y saithdegau, protestiodd llawer iawn o Gymry Cymraeg am y sefyllfa. Ar ôl clywed bod sianel newydd Saesneg - Channel 4 - yn mynd i ddechrau, penderfynodd llawer iawn o bobl yng Nghymru y dylen nhw gael sianel yn Gymraeg hefyd. Yn anffodus, doedd y llywodraeth ddim yn cytuno.

Aeth llawer o aelodau Cymdeithas yr Iaith Gymraeg o flaen llysoedd ar ôl gwrthod talu'r drwydded deledu, torri mastiau teledu ac yn y blaen a chafodd rhai ohonyn nhw eu hanfon i'r carchar. Y person mwyaf enwog i brotestio oedd Dr. Gwynfor Evans, cyn-arweinydd Plaid Cymru, a ddwedodd basai fo'n ymprydio i farwolaeth os nad oedd llywodraeth Margaret Thatcher yn newid eu meddwl. Newidion nhw eu barn, diolch byth, cyn i Gwynfor Evans ddechrau ei ympryd. Roedd dathlu mawr yng Nghymru.

Fel arfer mae tua 5 awr y dydd o raglenni Cymraeg ar S4C. Mae hyn yn cynnwys tua awr a hanner o raglenni plant a thua hanner awr o newyddion gan y BBC. Mae'r tair awr arall yn amrywiol iawn! Mae rhai rhaglenni'n cael eu gwneud gan y BBC, rhai gan HTV a rhai gan gwmnïau annibynnol eraill.

Erbyn hyn mae rhaglenni S4C wedi cael llwyddiant rhyngwladol. Mae *Pobol y Cwm*, opera sebon S4C, yn cael ei dangos mewn gwledydd eraill, ac mae rhaglenni oedd yn Gymraeg yn wreiddiol erbyn hyn wedi cael eu dangos mewn dros 60 o wledydd. Mae animeiddio S4C yn fyd-enwog, yn enwedig *Superted*, gafodd ei brynu gan Disney a'i ddangos yn America. Cafodd dwy ffilm S4C, *Hedd Wyn* a *Solomon a Gaenor*, eu rhoi ar y rhestr fer am Oscar, ond does dim ffilm Gymraeg wedi ennill Oscar eto!

Erbyn hyn, mae S4C digidol yn darlledu o hanner dydd tan hanner nos bob dydd - a mwy yn ystod yr Eisteddfod Genedlaethol! Wrth gwrs, yr un rhaglenni yw llawer ohonyn nhw ac ailddarllediadau o raglenni poblogaidd yr wythnos ac o'r gorffennol.

Wrth gwrs, mae llawer o raglenni Cymraeg i helpu pobl sy'n dysgu Cymraeg. Cofiwch hefyd bod hi'n bosibl gwylio llawer o raglenni'r sianel gydag is-deitlau Saesneg os oes rhywun yn eich tŷ chi sy ddim yn deall Cymraeg (teletestun 888) neu gydag is-deitlau Cymraeg mwy syml (teletestun 889). Mae gwylio S4C yn ffordd wych i wella eich Cymraeg heb adael eich ystafell fyw.

Cwestiynau

i. Pa raglenni medrwch chi weld ar S4C?
ii. Lle oeddech chi'n medru gweld rhaglenni Cymraeg cyn 1982?
iii. Be' wnaeth aelodau Cymdeithas yr Iaith?
iv. Be' wnaeth Gwynfor Evans?
v. Pwy sy'n gwneud rhaglenni S4C?
vi. Pa raglenni S4C sy'n enwog tu allan i Gymru?
vii. Be' sy'n wahanol am S4C Digidol?
viii. Sut mae S4C yn cefnogi pobl sy'n dysgu Cymraeg?

Sgwrsio

i. Dach chi'n gwrando llawer ar y radio? Pryd? Ar be'?
ii. Oeddech chi'n gwrando mwy ar y radio pan oeddech chi'n ifanc?
iii. Pa un ydy'ch hoff raglen deledu neu raglen radio erioed?
iv. Dach chi'n gwylio S4C neu'n gwrando ar Radio Cymru o gwbl?
v. Be' dach chi'n feddwl o raglenni i ddysgwyr fel
Catchphrase, Now You're Talking, Welsh in a Week, Cariad@iaith?

Geirfa

gorffen
bennu/
cwpla
Tafodiaith!

addurno	- to decorate			
adloniant ysgafn	- light entertainment			
amrywiol	- varied			
animeiddio	- animation			
cyfartaledd	- average			
cyflwyno	- to present			
cyflwynydd (cyflwynwyr)	- presenter(s)	dogfen	- documentary	
cynllunio	- to plan	gwrthod	- to refuse	
cynllunydd (cynllunwyr)	- planner(s), designer(s)	llys(oedd)	- court(s)	
cynrychiolydd (cynrychiolwyr)	- representative(s)	materion cyfoes	- current affairs	
darlledu	- to broadcast	teletestun	- teletext	
digwydd bod	- to happen to be	trawsnewid	- to transform	
		trwydded(au) (b)	- licence(s)	
		ympryd	- hunger strike	
		ymprydio	- to fast	

Cwrs Canolradd: Uned 19

Nod: Trafod arferion pob dydd

Ymarfer

Pa mor aml fyddi di'n cael dy dalu?	Unwaith y mis
Pa mor aml fyddi di'n bwyta sglodion?	Dwywaith yr wythnos
Pa mor aml fyddi di'n mynd at y deintydd?	Tair gwaith y flwyddyn
Pa mor aml fyddi di'n talu bil trydan?	Pedair gwaith y flwyddyn
Pa mor aml fyddi'n mynd i siop?	Pum gwaith yr wythnos
Pa mor aml fyddi di'n mynd â'r car i garej?	Chwe gwaith y flwyddyn

Gofynnwch i bartner pa mor aml
mae o/hi'n gwneud y pethau hyn.

Deialog

Dysgwch y ddeialog yma efo'ch partner.

A: Pa mor aml fyddi di'n cael bath?
B: Bron byth!
A: Pa mor aml fyddi di'n golchi dy wallt?
B: Pan fydda i'n cael cawod.
A: Pa mor aml fyddi di'n cael cawod 'ta?
B: Bob yn ail ddiwrnod.
A: Diolch byth!

Meddyliwch am bethau dach chi'n
eu gwneud **bob yn ail ddiwrnod, bob
yn ail wythnos** neu **bob yn ail fis**.

Ymarfer

Pa mor aml fyddi di'n gwneud ymarfer corff?	Chwe gwaith yr wythnos
Pa mor aml fyddi di'n prynu papur newydd?	Bron bob dydd
Pa mor aml fyddi di'n mynd i'r sinema?	Dim llawer yn ddiweddar
Pa mor aml fyddi di'n mynd i gyfarfodydd?	Cyn lleied â phosibl!
Pa mor aml fyddi di'n torri dy wallt?	Pan mae'n rhaid
Pa mor aml fyddi di'n siarad Cymraeg?	Bob dydd ar hyn o bryd
Pa mor aml fyddi di'n gwrando ar Radio Cymru?	Dim llawer hyd yn hyn

Ar ôl ymarfer gofyn ac ateb efo'ch partner, meddyliwch am un cwestiwn i'w ofyn i bawb yn y dosbarth. Nodwch yr atebion ac ar ôl gorffen, deudwch wrth y dosbarth be' oedd y canlyniadau, e.e. Mi fydd hanner y dosbarth yn gwneud ymarfer corff unwaith yr wythnos.

 Sgwrsio

i.   Pa mor aml fyddwch chi'n cyfarfod y teulu estynedig?   *extended family*

ii.   Lle byddwch chi'n cyfarfod, fel arfer?

iii.   Pa mor aml fyddwch chi'n cyfarfod ffrindiau ysgol neu ffrindiau coleg?

iv.   Be' fyddwch chi'n wneud?

 # Gramadeg

Os oes rhywbeth dach chi'n wneud yn aml, neu'n arfer ei wneud, dach chi'n defnyddio'r patrymau yma:

Mi fydda i'n nofio bob dydd

Mi fyddi di'n nofio bob dydd

Mi fydd o/hi'n nofio bob dydd

Mi fyddwn ni'n nofio bob dydd

Mi fyddwch chi'n nofio bob dydd

Mi fyddan nhw'n nofio bob dydd

Yn Saesneg, mae hwn yn y presennol, e.e. *I swim every day*.

Mae hi'n dderbyniol defnyddio **bod** yn y presennol yma hefyd yn Gymraeg, e.e.

A: Pa mor aml **wyt ti**'n nofio?

B: **Dw** i'n nofio yn y pwll bob dydd.

Ymarfer

Defnyddio **byth** yn y dyfodol (*never will*):

> Wna i byth naid bynji
> A i byth i Affrica
> Cha i byth swydd arall
> Wela i byth mo'r Antarctig

Efo'ch partner, meddyliwch am bethau na wnewch chi byth.

Defnyddio **byth** yn yr amherffaith a'r amodol (*never used to / would never*):

> Do'n i byth yn ymarfer piano pan o'n i'n blentyn
> Do'n i byth yn arfer mynd i'r ysgol yn y car
> Do'n i byth yn arfer tecstio ffrindiau
>
> Faswn i byth yn gweithio mewn ffatri
> Faswn i byth yn byw mewn dinas fawr
> Faswn i byth yn symud i Loegr

Efo'ch partner, meddyliwch am bethau nad oeddech chi byth yn eu gwneud pan oeddech chi'n blant, a phethau na fasech chi byth yn eu gwneud.

Ymarfer

Defnyddio **erioed** efo'r gorffennol ac **wedi** (*never did, never has/have*).
Mae hi'n bosibl defnyddio **erioed** ar y diwedd, neu roi'r **erioed** yn lle **ddim**, e.e.

> Wnes i ddim swper mawr erioed
> Wnes i erioed swper mawr
>
> Welais i erioed y fath beth
> Fues i erioed yn Sbaen
> Ches i erioed amser gwell

 Gramadeg

Pryd dach chi'n defnyddio **byth** ac **erioed?**

byth	Presennol:	Dw i byth yn gweld fy nain
	Dyfodol:	Fydda i byth yn gyfoethog
	Amodol:	Faswn i byth yn gwneud naid bynji
	Amherffaith:	Do'n i byth yn arfer edrych ar y teledu

erioed	Efo **wedi:**	Dw i erioed wedi bod yn Sbaen
		neu Dw i ddim wedi bod yn Sbaen erioed
	Gorffennol:	Ches i erioed amser gwell
		neu Ches i ddim amser gwell erioed

Pan dach chi'n defnyddio **erioed** mewn cwestiwn, mae'n golygu *ever*, e.e.

Wyt ti erioed wedi bod yn Sbaen?
Wyt ti wedi bod yn Sbaen erioed?   *Have you ever been to Spain?*

Mae rhai idiomau fel **Cymru am byth** lle mae **am byth** yn golygu *for ever*.

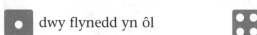 **Tasg - sbardun i siarad**
Rhannwch yn grwpiau o 3, yna taflwch y dis yn
eich tro. Deudwch frawddeg yn cynnwys y gair
neu'r geiriau o'r rhestr yma, ar ôl taflu'r dis.

⚀	dwy flynedd yn ôl	⚃	echdoe
⚁	pan o'n i'n ifanc	⚄	yfory
⚂	penwythnos diwetha	⚅	mewn chwe mis

Rhaid i bawb arall yn y grŵp ofyn cwestiynau i'r person sy'n dweud y frawddeg, e.e.

A:	[yn taflu 4]	**A:**	Mi es i siopa echdoe.
B:	Lle est ti siopa?	**A:**	Mi es i i Gaerdydd.
C:	Be' wnest ti brynu?	**A:**	Mi brynais i siwt newydd.

🙂🙂 Deialog

A: Prynhawn da. *[yn nerfus]*

B: Prynhawn da. Dewch i mewn. Mae hi'n braf.   *I am supposed to do*

A: Ydy hi? Dw i ddim yn siŵr be' dw i i fod i'w wneud...

B: Eisteddwch yma, a symudwch i fyny bob tro mae'r sedd nesaf atoch chi'n wag.

A: Iawn.

[saib]

A: O'r diwedd! Mae aros ac aros yn fy ngwneud i'n fwy...

B: Pardwn? Darllenwch y daflen yma.

A: Iawn.

B: Dach chi wedi bod yn Affrica yn y blynyddoedd diwethaf?

A: Dw i erioed wedi bod yn Affrica.

B: Oes annwyd arnoch chi?

A: *[yn obeithiol]* Mi ges i annwyd ofnadwy –

B: Pryd?

A: Y llynedd. Fasai'n well i mi fynd yn ôl i'r gwaith?

B: Na fasai. Mi fyddwch chi'n iawn.

A: Dw i newydd gofio - mi ges i dipyn go lew o win efo swper neithiwr. Fasai hi'n well i mi ddŵad yn ôl mis nesaf?

B: Mi fydd eich gwaed chi'n glir erbyn hyn.

A: O.

B: Pa mor aml fyddwch chi'n rhoi gwaed?

A: Dw i erioed wedi rhoi gwaed o'r blaen.

B: Dw i'n gweld. Dach chi ddim yn nerfus?

A: Nerfus? Fi? Nac ydw, wrth gwrs.

B: Peidiwch â phoeni. Mae'n hawdd.

A: Ydy o'n brifo?

B: Nac ydy wrth gwrs, tipyn bach fel pigiad nodwydd.

A: Pigiad! Dw i'n casáu pigiadau.

B: Wnewch chi ddim sylwi bron.

A: Lle dylwn i fynd rŵan?

B: Gorweddwch yma.

A: Fel hyn?

B: Perffaith. Rŵan rhowch eich braich i mi.

A: Fel hyn?

B: Yn union. Reit, ymlaciwch eich braich.

A: Ymlacio? Sut fedra i ymlacio?

B: Meddyliwch am y te a'r bisgedi... Da iawn chi! Wedi ymlacio'n dda...
O na! Nyrs! Mae'r person yma wedi llewygu.

🙂🙂 Sgwrsio
Dach chi wedi rhoi gwaed erioed? Sut brofiad oedd o?

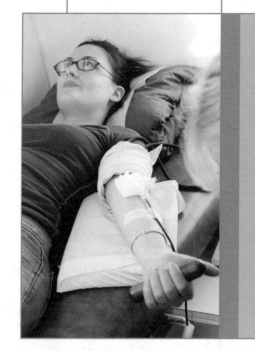

📖 Darn Darllen

Eisteddfodau

Pan o'n i'n blentyn ro'n i'n mwynhau cystadlu mewn eisteddfodau.
Dw i'n meddwl mod i wedi dechrau mewn eisteddfod capel yn Sir Fôn,
pan o'n i'n ddwy oed. Yn ffodus, dw i ddim yn cofio hynny o gwbl!

Dechreuais i gystadlu yn Eisteddfod yr Urdd pan o'n i tua saith oed. Ro'n
i'n mynd i ysgol fach, felly ces i'r cyfle i fod mewn partïon a chorau yn ifanc iawn.
Dw i'n cofio Eisteddfod Genedlaethol yr Urdd yn Llanidloes yn dda. Roedd plant
yn mynd i aros at deuluoedd lleol. Ro'n i'n aros efo dwy ffrind oedd yn llawer hŷn
na fi - tua un ar ddeg oed. Roedden nhw'n mwynhau tynnu fy nghoes! Dwedon nhw
fod sgerbwd yn y cwpwrdd mawr ar waelod y gwely. Ond roedden nhw'n difaru ar ôl
i mi fod yn crïo drwy'r nos. Yn y diwedd, bwytais i baced o greision yn y gwely i gysuro
fy hun. Doedd y briwsion creision ddim yn help i ni gysgu chwaith. Dw i'n synnu
dim fod y tair ohonon ni wedi blino gormod i ganu'n dda y bore wedyn.

Mae Eisteddfod yr Urdd yn ddiddorol iawn - bob blwyddyn mae miloedd
o blant yn cystadlu ym mhob cylch (ardal), llawer yn cael eu dewis i gystadlu yn
yr Eisteddfod Sir a rhai'n cael mynd i'r Eisteddfod Genedlaethol. Des i i nabod llawer
o ardaloedd amrywiol drwy Eisteddfod yr Urdd ac aros mewn cartrefi diddorol iawn.
Arhosais i ar y stryd lle gaeth Tom Jones ei eni ym Mhontypridd a dysgu bod pobl
Llanelli yn bwyta sglodion a salad yr un pryd!

Roedd eisteddfodau eraill, wrth gwrs. Ro'n i'n mynd i'r ŵyl Gerdd Dant bob mis
Tachwedd, ac roedd o'n gyfle i weld yr un ffrindiau bob blwyddyn. Weithiau ro'n i'n
ennill, weithiau ddim, ond roedd hi'n hwyl beth bynnag. Yn anffodus i fy rhieni,
ro'n i'n canu'r delyn, felly roedd rhaid cario'r offeryn mawr iawn i mewn i festri
capel, neuadd bentref, ysgol feithrin, yn aml i fyny'r grisiau...

Roedd yr Eisteddfod Genedlaethol fawr yn brofiad gwahanol. Ro'n i'n cystadlu,
ond roedd cymaint o bethau eraill diddorol i'w gwneud - cyngherddau, discos, pebyll
lliwgar, gweld ffrindiau, gwersylla neu garafanio. Dw i wedi bod i dros dri deg o
Eisteddfodau Cenedlaethol erbyn hyn a phob un yn wahanol.

Mae Bryn Terfel yn dweud mai canu mewn Eisteddfodau oedd y profiad gorau
gafodd o erioed. Dw i'n cytuno. Mae sefyll o flaen cynulleidfa sy'n amrywio o fabanod
i hen bobl a'u cael i wrando arnoch yn canu'r gân maen nhw wedi ei chlywed dri deg
saith o weithiau'n barod yn fwy anodd na chanu Don Giovanni yn Covent Garden!

Eirian Conlon

Cwestiynau

Trafodwch y cwestiynau yma efo'ch partner.

i. Pa mor ifanc oedd yr awdures yn mynd i eisteddfod am y tro cyntaf?

ii. Pam nad oedd Eisteddfod Llanidloes yn llwyddiant i'r awdures?

iii. Be' arall ddysgodd yr awdures am Gymru drwy Eisteddfod yr Urdd?

iv. Pam roedd yr awdures yn mwynhau'r Ŵyl Gerdd Dant?

v. Pa mor aml oedd hi'n ennill?

vi. Be' ydy'r broblem efo canu'r delyn mewn eisteddfodau?

vii. Pam mae'r awdures yn mwynhau'r Eisteddfod Genedlaethol?

viii. Be' ydy barn Bryn Terfel am eisteddfodau?

Sgwrsio

i. Pa mor aml fyddwch chi'n teithio ar drên?
   Pryd aethoch chi ar drên ddiwethaf?

ii. Pa mor aml fyddwch chi'n teithio ar awyren?
   Pryd oeddech chi ar awyren ddiwethaf?

iii. Pa mor aml fyddwch chi'n mynd mewn bws i rywle?
   Pryd oedd y tro diwethaf i chi fynd ar fws?

iv. Be' ydy'ch hoff ffordd chi o deithio?
   Dach chi'n ceisio osgoi defnyddio un ohonyn nhw?

v. Dach chi wedi cael profiad diddorol ar drafnidiaeth gyhoeddus erioed?

mi es i

es i /
fe es i

Tafodiaith!

Geirfa

ar hyn o bryd	- *at present*
awdures(au) (b)	- *female author(s)*
brifo	- *to hurt*
canlyniad(au)	- *result(s)*
cysuro	- *to comfort*
chwaith	- *either*
difaru	- *to be sorry, to regret*
dipyn go lew	- *a fair amount*
echdoe	- *day before yesterday*
estynedig	- *extended*
Gŵyl Gerdd Dant	- *Cerdd Dant Festival* (*math o ganu arbennig gyda'r delyn yw cerdd dant*)
hyd yn hyn	- *so far*

llewygu	- *to faint*
lliwgar	- *colourful*
llwyddiant	- *success*
nodwydd(au) (b)	- *needle(s)*
offeryn(nau)	- *instrument(s)*
osgoi	- *to avoid*
pigiad(au)	- *prick(s), injection(s); hefyd sting*
sgerbwd (sgerbydau)	- *skeleton(s)*
synnu	- *to be surprised, to surprise*
trafnidiaeth gyhoeddus (b)	- *public transport*
ymlacio	- *to relax*
yn ddiweddar	- *recently*

Cwrs Canolradd: Uned 20

Nod: Adolygu ac ymestyn

Adolygu - disgrifio lle

Dewiswch un o'r llefydd yn y lluniau. Efo'ch partner, trafodwch ymweliad ag un ohonyn nhw. Gofynnwch gwestiynau fel:

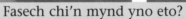

Sut oedd y daith?

Sut oedd y gwesty?

Sut oedd y tywydd?

Sut oedd y lle?

Sut oedd y bwyd?

Be' oedd yn arbennig am y lle?

Fasech chi'n mynd yno eto?

Adolygu - gorchmynion

Efo'ch partner eto, trowch y rhain yn orchmynion i **chi**:

Darllena'r darn yma   _____

Rho'r llyfrau ar y ddesg   _____

Cofia wneud dy waith cartref   _____

Paid anghofio   _____

Ateba'r cwestiynau   _____

Dysga'r geiriau yma   _____

Tro i dudalen saith   _____

Tyrd i barti'r dosbarth   _____

Mwynha'r gwyliau   _____

Cer i'r cwrs penwythnos   _____

Gwna'r gwaith cartre   _____

Pa orchmynion eraill mae eich tiwtor yn eu rhoi i chi?
Pa orchmynion dach chi'n eu clywed yn eich lle gwaith fel arfer?

Adolygu - arferion pob dydd

Gofynnwch i 5 person gwahanol:

Pa mor aml fyddi di'n...   i.   mynd i'r theatr
                                       ii.   prynu llyfr newydd
                                       iii.   mynd i'r ganolfan hamdden

Trafodwch yr atebion efo'ch partner.

Tasg - llenwi bylchau

Efo'ch partner, llenwch y bylchau yn y ddeialog yma, gan ddefnyddio'r geiriau
mewn cromfachau fel sbardun.

A: Dw i'n siarad heno efo'r seren ffilm enwog o Gymru - Ffion Philips. Mae hi wedi

gwahodd gwylwyr Ffilm Cymru i'w _____ (cartre) yn Los Angeles. Diolch

i chi am sbario'r amser i'n cyfarfod ni Ffion.

Ff: Croeso. _____ (cymryd) chi wydraid o siampên?

A: Diolch yn fawr! Wel, dyma le bendigedig!

Ff: Mae o'n braf, _____? Mae golygfa wych o'r traeth, yn enwedig pan

fydd yr haul yn machlud. Dw i byth yn blino ar yr olygfa.

A: Felly, dach chi wedi setlo yma yng Nghaliffornia?

Ff: _____ (✔) wir. Mae'r bobl yn neis iawn.

A: Sut brofiad oedd gweithio ar yr opera sebon 'People of Hollywood' yn

syth ar ôl 'Pobol y Cwm'?

Ff: _____ yn od, a dweud y gwir. Mae'r gyfres yn wahanol iawn i Gwmderi.

A: Dw i'n gweld. Oes hiraeth arnoch chi am Gymru o gwbl?

Ff: _____, wrth gwrs - dw i'n colli'r teulu.

A: Felly, pa mor _____ dach chi'n mynd yn ôl i Gymru?

Ff: Dw i'n dŵad adre bob _____ Awst i'r Eisteddfod Genedlaethol! A _____

i a Brad yn dŵad draw fis nesa i fedyddio ein babi newydd sbon. _____

(edrych) ar y llun 'ma ohoni hi.

A: Wel wir, mae hi'n ddel iawn.

Ff: Wrth gwrs, mae ei _____ (trwyn) hi yn union fel fy _____ (trwyn) i!

A: Lle mae hi rŵan?

Ff: Efo'r nani. Conchita! _____ (dŵad)! Ar unwaith!

A: Dach chi a Brad wedi dewis enw iddi hi eto?

Ff: _____ (✔) - enw fy nain, Myfanwy, a nain Brad, Esmerelda.

Dach chi wedi clywed enw cystal _____?

A: Nac ydw, wir. Diolch yn fawr Ffion.

Gwrando a deall

Gwrandewch ar y darn yn gynta. Yna, edrychwch ar y brawddegau isod. Mae rhywbeth yn
anghywir ymhob brawddeg. Newidiwch y brawddegau i gyfateb â'r darn.

Cwestiynau

i. Mae Matthew Gruffudd yn gweithio fel athro.

ii. O Gaerdydd mae o'n dŵad yn wreiddiol.

iii. Symudodd o i weithio yn America ar ôl gadael yr ysgol.

iv.   Mae o'n byw yn Los Angeles ers tri deg mlynedd.

_____

v.   Mae gan Matthew Gruffudd un mab.

_____

vi.   Mae ei ferch o'n feddyg yn barod.

_____

vii.   Mae ei wraig o'n dŵad o Gymru.

_____

viii. Roedd ei wraig o isio symud hefyd.

_____

ix.   Mae ei wraig o wedi dysgu tipyn bach o Gymraeg.

_____

x.   Mi fyddan nhw'n cadw cysylltiad efo'r plant drwy ffonio.

_____

Tasg - cyfweld rhywun

Rŵan, heb edrych ar y sgript, meddyliwch am gwestiynau y
basech chi'n gofyn i Matthew Gruffudd. Pan fyddwch chi'n
barod, gofynnwch y cwestiynau i'ch partner yn eich tro.

Cofiwch - cyn bo hir, mi fydd rhaid i chi wneud tasg arbennig
efo'r arholiad, sef recordio cyfweliad efo rhywun sy'n siarad
Cymraeg yn rhugl. Ceisiwch ymarfer efo ffrindiau a dysgwyr
eraill a gofyn cwestiynau iddyn nhw.

 # Geirfa

astudio	- *to study*		
bedyddio	- *to christen*		
colli	- *to miss*		
cromfach(au) (b)	- *bracket(s)*	gwydraid o siampên	- *a glass of champagne*
cyfateb â	- *to correspond to*	gwyliwr (-wyr)	- *viewer(s)*
cyfweld	- *to interview*	machlud	- *sunset*
cyfweliad(au)	- *interview(s)*	mae hiraeth arna i	- *I'm homesick*
gwahodd	- *to invite*	Unol Daleithiau	- *United States*

nain a taid

mam-gu a tad-cu

Tafodiaith!

Cwrs Canolradd: Uned 21

Nod: Trafod amserau a chyfnodau

Ymarfer

Dyna'r tro cyntaf i ni ymweld â'r lle
Dyna'r ail dro i ni ymweld â'r lle
Dyna'r trydydd tro i ni ymweld â'r lle
Dyna'r pedwerydd tro i ni ymweld â'r lle

Sawl gwaith dach chi wedi bod yno?

Dan ni'n mynd yno unwaith y flwyddyn
Dan ni'n mynd yno ddwywaith y flwyddyn
Dan ni'n mynd yno dair gwaith y flwyddyn
Dan ni'n mynd yno bedair gwaith y flwyddyn
Dan ni'n mynd bob yn ail flwyddyn

Pa mor aml dach chi'n mynd i'r lle?

 Tasg - adolygu dyddiadau

Efo'ch partner, deudwch y dyddiadau hyn yn Gymraeg. Mi fydd eich tiwtor yn eich helpu chi.

1/9/98	4/5/67	10/11/89	2/7/2002
31/2/88	25/1/76	5/3/2006	21/6/1890

Ar ddarn o bapur, ysgrifennwch ddau ddyddiad sy'n arwyddocaol i chi – pen-blwydd eich priodas, pen-blwydd aelod arall o'r teulu, diwrnod dach chi'n mynd ar wyliau, diwrnod parti. Mi fydd rhaid i chi drafod y dyddiadau hyn efo'r grŵp.

Ymarfer

Dim ond am noson
Dim ond am ddeuddydd
Am dridiau yn unig
Am flwyddyn yn unig

Am faint wnewch chi aros?

Y tro diwetha i ni fynd, arhoson ni am wythnos
Y tro nesa i ni fynd, arhoswn ni am bythefnos
Dyna'r tro ola i ni fynd yno!

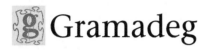 # Gramadeg

i.   Be' ydy'r gwahaniaeth rhwng **diwetha / diwethaf** (*last*) ac **ola / olaf** (*last*)?
     Ystyr **diwetha** ydy *most recent*, e.e. yr wythnos diwetha, y gwyliau diwetha.
     Ystyr **ola** ydy *very last, last of all, final*, e.e. dyna'r tro ola, y dyn ola yn y ciw.

ii. Be' ydy'r gwahaniaeth rhwng **dydd** a **diwrnod**?
     Defnyddiwch **diwrnod** ar ôl rhif, e.e. dau ddiwrnod.
     Defnyddiwch **diwrnod** pan fydd **o** yn dilyn, e.e. diwrnod o waith.
     Defnyddiwch **diwrnod** pan fydd disgrifiad neu ansoddair yn dilyn, e.e. diwrnod da.
     Ym mhob man arall, defnyddiwch **dydd**, e.e. dydd Iau, drwy'r dydd.

iii. Be' ydy'r gwahaniaeth rhwng **nos** a **noson** a **noswaith**?
     Defnyddiwch **noswaith** wrth gyfarch rhywun, e.e. Noswaith dda!
     Defnyddiwch **noson** ar ôl rhif, e.e. dwy noson.
     Defnyddiwch **noson** pan fydd **o** yn dilyn, e.e. noson o waith.
     Defnyddiwch **noson** pan fydd disgrifiad neu ansoddair yn dilyn, e.e. noson dda.
     Ym mhob man arall, defnyddiwch **nos**, e.e. nos Iau, drwy'r nos.

Tasg - dewis gwesty

Dach chi'n chwilio am westy i grŵp o bobl. Mi aethoch chi ar wefan i chwilio a chael rhestr
o wyth gwesty posibl. Efo'ch partner, trafodwch fanteision ac anfanteision pob gwesty.

Gwesty:	**Llew Coch**	Gwesty:	**Morben Manor**
Lleoliad:	Canol y dre	Lleoliad:	Canol y wlad
Cyfleusterau:	Uwchben tafarn	Cyfleusterau:	Spa, campfa
Ystafelloedd:	15	Ystafelloedd:	50
O'r maes awyr:	30m	O'r maes awyr:	50m
Bwydlen:	Bwyd tafarn arferol. Noson 'cyri' ar nos Iau	Bwydlen:	Bwyd Ffrengig o'r safon ucha. Bwyd organig
Prisiau:	£25 y noson	Prisiau:	£125 y noson

Gwesty:	**Dan y Graig**	Gwesty:	**Chez Siân**
Lleoliad:	Ar lan y môr	Lleoliad:	Ger y dre
Cyfleusterau:	Dim	Cyfleusterau:	Dim
Ystafelloedd:	3	Ystafelloedd:	Tair
O'r maes awyr:	35m	O'r maes awyr:	32m
Bwydlen:	Dim ond brecwast	Bwydlen:	Dim ond brecwast
Prisiau:	£30 y noson	Prisiau:	£26 y noson

Gwesty:	**Gwesty'r Grand**
Lleoliad:	Ar y bryn yn y dre
Cyfleusterau:	Pwll nofio
O'r maes awyr:	30m
Bwydlen:	Bwydlen fawr, bwyd traddodiadol
Prisiau:	£55 y noson

Gwesty:	**Shangri La**
Lleoliad:	Pentre ger y dre
Cyfleusterau:	Ystafell ioga
O'r maes awyr:	38m
Bwydlen:	Bwyd Thai
Prisiau:	£58 y noson

Gwesty:	**Deli Dai a Del**
Lleoliad:	Deg milltir o'r dre
Cyfleusterau:	Lle bwyta, cyfleus i fynd i gerdded
Ystafelloedd:	8
O'r maes awyr:	40m
Bwydlen:	Bwyd Cymreig o'r safon ucha
Prisiau:	£60 y noson

Gwesty:	**Best West Hotel**
Lleoliad:	Ger y drafordd
Cyfleusterau:	Dim
Ystafelloedd:	80
O'r maes awyr:	5m
Bwydlen:	Brecwast a bwffe gyda'r nos
Prisiau:	£45 y noson am ystafell

Tasg - cwyno am westy

Dach chi wedi bod ar wyliau i westy, e.e. un o'r gwestai o'r dasg ddiwetha. Dach chi ddim yn hapus o gwbl efo'r gwyliau gaethoch chi. Er mwyn cwyno, rhaid i chi lenwi'r ffurflen hon.

Enw: _____

Cyfeiriad: _____

_____

Dyddiadau aros: _____

Natur y broblem: _____

_____

_____

_____

Be' hoffech chi i'r gwesty ei wneud am y peth? _____

_____

_____

Deialog

Yr aduniad

A: Helo? Trewenallt 753737.

B: Helo - Eirian Thomas?

A: Eirian Thomas yn siarad. Ga i'ch helpu chi?

B: Eirian! Ceri Roberts sy 'ma. Sut wyt ti ers talwm?

A: Mae'n ddrwg gen i?

B: Ceri Roberts, Ty'n Coed, Ysgol Llanwenallt.

A: O - Ceri! Wel, wel, sut wyt ti ers blynyddoedd?

B: Iawn diolch.

[Saib]

A: Felly Ceri - sut fedra i dy helpu di?

B: Wel, fi sy'n medru dy helpu di dweud y gwir.
Dw i'n ffonio i ddweud bod aduniad yn cael ei drefnu.

A: Aduniad? Pa aduniad?

B: Aduniad Ysgol Llanwenallt. Ro'n i wedi colli cysylltiad efo pawb,
ond mi ges i alwad ffôn echnos gan Joni Jones.

A: Joni Jones?

B: Ie - rwyt ti'n cofio Joni Jones? Gwallt coch fel brwsh? Chwibanu drwy'r amser?

A: O ydw - Joni Jones. Be' oedd o isio?

B: Isio i ni i gyd gyfarfod eleni. Dan ni i gyd yn bedwar deg eleni!

A: Ydyn, dw i'n gwybod. Wel, be' sy'n digwydd?

B: Dw i ddim yn siŵr eto. Mi fydda i wedi rhoi dy rif ffôn di iddo erbyn yfory.
Mi fydd o'n cysylltu wedyn. Diolch yn fawr i ti Eirian. Hwyl.

A: Aros funud - Ceri? Wyt ti'n mynd? Be' sy'n mynd i gael ei drefnu? Ceri? Ceri?

Darn Darllen

Darllenwch y memo. Yna, ysgrifennwch 5 cwestiwn yn seiliedig
ar y nodyn, e.e. At bwy mae'r nodyn? Mi fydd eich
tiwtor yn casglu'r cwestiynau.

MEMO

Dyddiad: 10 Rhagfyr

At: Staff yr adran

Oddi wrth: Y rheolwr

Mi fyddwn ni'n cyfarfod yng nghyntedd y gwesty ar 21 Ionawr am 9. Fyddwn ni ddim yn torri am goffi yn y bore, ond mi fyddwn ni'n cael cinio o 12.15 tan 1.00. Mi fyddwn ni'n gweithio tan 7 o'r gloch o leia, felly fydd hi ddim yn bosibl i chi ddal y trên yn ôl. Mi fydd rhaid i chi drefnu gwesty yn yr ardal. Fasech chi mor garedig â gadael i ysgrifenyddes y cwmni wybod be' fydd eich trefniadau? Pan fyddwn ni wedi cael eich neges, mi fyddwn ni'n cysylltu efo rheolwr y cwmni yn America i gadarnhau.

Sgwrsio

i. Dach chi'n un (d)da am drefnu
   pethau? Yn eich tŷ chi, pwy
   sy'n trefnu:
   a. gwyliau
   b. pacio am wyliau
   c. pethau ariannol
   ch. siopa am anrhegion
   d. mynd â'r car i'r garej

ii. Dach chi wedi
    bod ar bwyllgor
    erioed (ar wahân
    i'r gwaith)?

iii. Dach chi
     wedi bod
     mewn
     aduniad
     erioed?

cyfarfod

cwrdd

Tafodiaith!

Geirfa

aduniad(au)	- reunion(s)
anfantais (anfanteision) (b)	- disadvantage(s)
arwyddocaol	- significant
cyfleuster(au)	- facility (-ies)
cyntedd(au)	- porch(es), entrance hall(s)
chwibanu	- to whistle
gwahaniaeth(au)	- difference(s)
gwefan(nau) (b)	- website(s)
mantais (manteision) (b)	- advantage(s)
seiliedig	- based

Cwrs Canolradd: Uned 22

Nod: Trafod hwn a hon

Ymarfer

Sut i ddweud *this*, *that* a *these* yn Gymraeg.

Y dyn yma	Y tŷ yna
Y ferch yma	Y gegin yna
Y plant yma	Y ceir yna

Pa un ydy dy dŷ di?	Hwn!	**Gwrywaidd**
Pa un ydy dy gegin di?	Hon!	**Benywaidd**
Pa rai ydy dy geir di?	Y rhain!	**Lluosog**

Efo'ch partner, rhowch y geiriau yma yn y cwestiwn:

dosbarth, cath, cŵn, mam, côt, llyfr, cyfrifiadur, ysgol, swyddfa, cwpanau.

Os ydy'r peth yn haniaethol, dach chi'n defnyddio **hyn** (*this*) neu **hynny** (*that*), e.e.

Mae'r broblem yn waeth!	Ydy, mae hyn yn waeth o lawer!
Mae'r sefyllfa'n ofnadwy!	Ydy, mae hynny'n ofnadwy!

Ymarfer

Wrth ysgrifennu (neu wrth siarad weithiau, ac yn enwedig wrth siarad yn ffurfiol), mae pobl yn defnyddio **hwn/hon** yn lle **yma** (*this*, *these*), e.e. y llyfr yma = y llyfr hwn (*this book*). Os ydy'r gair yn lluosog, defnyddiwch **hyn** yn syth ar ôl y gair. Mae **hyn** yn eitha cyffredin wrth siarad yn y De.

Y tŷ hwn	**Gwrywaidd**
Y gegin hon	**Benywaidd**
Y ceir hyn	**Lluosog**

Mwynheuais i ddarllen y llyfr hwn

Y ddrama hon yw'r orau gan Shakespeare

Mae'r nofelau hyn yn ardderchog

Newidiwch y brawddegau yma i ddefnyddio **hwn** / **hon** / **hyn**:

> Mae'r gath yma ar goll
> Mae'r bachgen yma'n ddrwg iawn
> Mae'r ceir yma'n hen ofnadwy
> Mae'r gegin yma'n enfawr

Ymarfer

Wrth ysgrifennu eto (neu siarad yn ffurfiol), mae pobl yn defnyddio **hwnnw**, **honno**, **hynny**, yn lle **yna** (*that*, *those*), e.e. y llyfr yna = y llyfr hwnnw (*that book*).

Y tŷ hwnnw	**Gwrywaidd**
Y gegin honno	**Benywaidd**
Y ceir hynny	**Lluosog**

Mwynheuais i ddarllen y llyfr hwnnw
Y ddrama honno yw'r orau gan Shakespeare
Mae'r nofelau hynny'n ardderchog

Newidiwch y brawddegau yma i ddefnyddio **hwnnw** / **honno** / **hynny**:

> Mae'r gath yna ar goll
> Mae'r bachgen yna'n ddrwg iawn
> Mae'r ceir yna'n hen ofnadwy
> Mae'r gegin yna'n enfawr

Ymarfer

Os dach chi'n gallu pwyntio neu ddangos y peth, dach chi'n defnyddio **hwnna!** **honna!** a **rheina!**

Pa gar wyt ti isio?	Hwnna!
Pa gegin wyt ti isio?	Honna!
Pa lyfrau wyt ti isio?	Rheina!

Efo'ch partner, rhowch y geiriau yma yn y cwestiwn:

> tiwtor, cath, cŵn, taflen, côt, llyfr, cyfrifiadur, cadair, cwpanau.

A: Pa lyfr wyt ti am ddewis? Yr un mawr neu'r un bach?
B: Mae hwn yn edrych braidd yn drwm; pryna i hwnna!

A: Pa gacen wyt ti am fwyta? Y gacen gaws neu'r gacen siocled?
B: Mae hon yn rhy felys; mi gymera i honna.

A: Pa 'sgidiau sy'n dy ffitio di orau?
B: Mae'r rhain braidd yn dynn; mi dria i'r rheina!

 Deialog

Yn y tŷ bwyta

A: Be' ydy hwn?

B: Octopws, dw i'n meddwl.

A: Be' ydy'r rhain?

B: Malwod? Naci, rhyw fath o fwyd môr.

A: Dw i ddim isio bwyta'r rheina wir.

B: Be' ydy hon 'ta? Taten ydy hi?

A: Dydy hi ddim yn edrych fel taten i mi. A be' ydy hwn?

B: Mae o'n dweud mai gwymon ydy o.

A: Gwymon? Dw i ddim yn bwyta pethau budr fel hwnna.

B: Wyt ti wedi bwyta bara lawr erioed?

A: Ych! Nac ydw wir!

B: Ddim gwymon ydy hwnna beth bynnag, ond cabatsen wedi ffrïo.

A: Wedi ffrïo! Pam nad ydyn nhw'n ei ferwi o fel pawb arall? A be' ydy hwn?

B: *[heb edrych, yn rhy brysur yn bwyta]* Cawl o ryw fath, dw i'n meddwl.

A: Mae o'n denau iawn. Ych! Dw i ddim yn licio blas hwn o gwbl.

B: Be' wyt ti'n wneud? Bowlen o ddŵr ydy honna.

A: DŴR?

B: I ti gael golchi dy ddwylo, y lemon.

A: Lemon? Na, dw i wedi bwyta hwnnw'n barod. O leia ro'n i'n gwybod be' oedd o!

 Darn Darllen   Efo'ch partner, darllenwch y darn yma. Rhowch linell dan y geiriau dach chi ddim yn eu deall.

Dw i'n caru canu *(addasiad o Golwg)*

Pan dorrodd llais y boi soprano Aled Jones pan oedd o'n 16 oed, doedd dim angen poeni bod ei yrfa gerddorol ar ben. Roedd y bachgen o Landegfan ym Môn yn gwybod y basai'n canu eto ryw ddydd, meddai. Mae'r boi soprano hwnnw'n fariton bellach, ac mae ei albwm cynta, **Aled**, yn cyrraedd y siopau yr wythnos nesa.

"Pan o'n i'n blentyn, do'n i ddim yn canu er mwyn bod yn enwog, ond am fy mod i'n caru canu, ac ro'n i'n gwybod fy mod i'n mynd i ganu eto, hyd yn oed tasai hynny ddim ond yn y bath," meddai.

Ond mae Aled Jones, a gyrhaeddodd y pump ucha yn y siartiau Prydeinig yng nghanol yr wythdegau efo'r gân 'Walking in the Air' wedi gwneud ychydig yn well na hynny. Erbyn hyn, mae wedi arwyddo cytundeb i recordio pum albwm efo cwmni Universal, y cwmni sy'n gyfrifol am gantorion byd-enwog fel Bryn Terfel a'r tenoriaid Russell Watson ac Andrea Bocelli.

"Ro'n i'n gwybod y baswn i'n canu ac yn gwneud rhywbeth ym myd *showbiz*, ond do'n i ddim yn gwybod y baswn i'n gallu canu'n glasurol neu wneud y math o ganu dw i'n ei wneud rŵan," meddai wedyn. Digwyddodd hyn i gyd drwy'r rhaglen *Songs of Praise*. Aled Jones yw un o gyflwynwyr y rhaglen emynau bob nos Sul sy'n teithio gwledydd Prydain ac yn cynnwys hoff emynau cynulleidfaoedd mewn ardaloedd gwahanol. "Ro'n i'n canu bob wythnos ar y rhaglen ac yn derbyn miloedd o lythyrau'n gofyn i mi ryddhau record hir."

Ar ddechrau 2003, bydd Aled yn hyrwyddo ei albwm newydd yn Japan, lle cafodd lwyddiant mawr pan oedd yn ifanc. "Ro'n i wrth fy modd yno fel plentyn," meddai. "Mi wnes i ryddhau pymtheg albwm yn Japan ac aethon nhw i gyd i rif un. Felly, gobeithio bydd y bobl yn licio'r albwm yma hefyd."

Oes 'na ddigon?

Oes digon?

Tafodiaith!

Geirfa

achub	-	*to save*
arwyddo	-	*to sign*
bara lawr	-	*laver bread*
bariton	-	*baritone*
byd-enwog	-	*world-famous*
cabatsen (cabaits)	-	*cabbage* (bresych)
clasurol	-	*classical*
cynulleidfa(oedd) (b)	-	*audience(s), congregation(s)*
cytundeb(au)	-	*contract(s), agreement(s)*
emyn(au)	-	*hymn(s)*
gwymon	-	*seaweed*
gyrfa gerddorol (b)	-	*musical career*
haniaethol	-	*abstract*
llifogydd	-	*floods*
rhyddhau	-	*to release, to free*
siart(iau) (b)	-	*chart(s)*
taflen(ni) (b)	-	*leaflet(s)*
tynn	-	*tight*

Tasg - cwestiynau

Efo'ch partner, paratowch gwestiynau i'w gofyn i Aled Jones, ar sail yr erthygl yma. Rhaid i chi feddwl am wyth cwestiwn i ofyn iddo.

Sgwrsio

Tasai rhaid i chi adael eich tŷ o fewn munud (oherwydd llifogydd neu dân), pa dri pheth fasech chi'n ceisio eu hachub, ar wahân i'r teulu? Ar ôl munud, rhaid i chi ddweud wrth y dosbarth beth fasai'r tri pheth y basech chi'n eu hachub, a dweud pam maen nhw'n bwysig i chi.

Tasai rhaid i chi ddewis tri CD i'w hachub o'r tŷ, pa CD (neu recordiau neu dapiau) fasech chi'n eu hachub?

Cwrs Canolradd: Uned 23

Nod: Arddodiaid cymhleth

Ymarfer

Paid torri ar fy nhraws i!
Paid torri ar ei draws o!
Paid torri ar ei thraws hi!
Paid torri ar ein traws ni!
Paid torri ar eu traws nhw!
Paid torri ar draws neb!

Paid chwerthin am fy mhen i!
Paid chwerthin am ei ben o!
Paid chwerthin am ei phen hi!
Paid chwerthin am ein pennau ni!
Paid chwerthin am eu pennau nhw!
Paid chwerthin am ben neb!

Paid dweud pob dim ar fy ôl i!
Paid dweud pob dim ar ei ôl o!
Paid dweud pob dim ar ei hôl hi!
Paid dweud pob dim ar ôl Lowri!
Paid dweud pob dim ar ein holau ni!
Paid dweud pob dim ar eu holau nhw!

Paid rhedeg o 'mlaen i!
Paid rhedeg o'i flaen o!
Paid rhedeg o'i blaen hi!
Paid rhedeg o flaen Lowri!
Paid rhedeg o'n blaenau ni!
Paid rhedeg o'u blaenau nhw!

Deialog 1

Dysgwch y ddeialog yma efo'ch partner.

A: Paid siarad ar draws y dosbarth!
B: Dw i ddim yn siarad ar draws neb.
A: Wel paid siarad ar fy nhraws i!
B: Dw i ddim yn siarad ar dy draws di.
A: Paid chwerthin am fy mhen i!
B: Dw i ddim yn chwerthin am dy ben di.
A: Paid dweud popeth ar fy ôl i!
B: Dw i ddim yn dweud popeth ar dy ôl di ...wps!

Tasg - gwaith pâr

Efo'ch partner, ceisiwch ateb y cwestiynau yma.

i.   Rwyt ti'n sefyll o flaen John. Be' mae o'n ddweud?

      Rwyt ti'n sefyll o 'mlaen i!

      Mae o'n dweud fod ti'n sefyll o'i flaen o!

ii.   Rwyt ti'n chwerthin am ben Mari. Be' mae hi'n ddweud?

iii. Rwyt ti'n rhedeg ar ôl Sara. Be' mae hi'n ddweud?

iv.   Rwyt ti'n siarad ar draws y tiwtor. Be' mae o'n ddweud?

v.   Rwyt ti'n rhedeg o gwmpas Mrs Evans. Be' mae hi'n ddweud?

vi.   Rwyt ti'n gweithio wrth ochr Elin. Be' mae hi'n ddweud?

vii. Rwyt ti'n byw tu ôl i Gareth. Be' mae o'n ddweud?

Gramadeg

Efo rhai arddodiaid mae angen rhoi'r **fy...** / **dy...** yn y canol, e.e. **ar fy nhraws i**, **ar dy draws di**. Weithiau, mae'r cyfan yn gorffen efo **i**, a does dim angen rhoi dim byd yn y canol wedyn, e.e. **tu ôl i mi**, **tu ôl i ti**.

Arddodiaid efo 'fy ...' / 'dy ...' yn y canol   Arddodiaid efo 'i' ar y diwedd

ar draws	tu ôl i
am ben	heibio i
ar ôl	tu mewn i
o flaen	
o gwmpas	
ar gyfer	
ar bwys	
ar hyd	
yn ymyl	
wrth ochr	

Deialog 2

Yn y Pantomeim - Hugan Fach Goch *(Little Red Riding Hood)*

A: Brysia! Mae'r Pantomeim yn dechrau rŵan!

B: O na! Mae rhywun mawr iawn yn eistedd o'n blaenau ni... efo lot o wallt.

A: O nefoedd - mae babi yn eu hymyl nhw hefyd, ac mae hi'n swnllyd yn barod.

B: Ych a fi! Dw i'n casáu babis mewn theatr. O na!

A: Be' sy'n bod rŵan?

B: Dw i'n nabod yr hogyn sy'n eistedd wrth ei hochr hi.
       Fo oedd yn rhedeg ar fy ôl i ddoe.

A: Pam oedd o'n rhedeg ar dy ôl di?

B: Bwli ydy o. Edrychwch! Mae'r blaidd yn cuddio'n fan'na!

A: Lle?

B: Dach chi'n gweld y goeden fawr 'na? I'r dde ohoni hi.

A: Naci - i'r chwith ohoni hi mae o rŵan.

B: O ia! Edrychwch ar Hugan Fach Goch. Mae o'n cropian ar ei hôl hi...

A: Paid siarad ar ei thraws hi. Dw i ddim yn clywed...

B: O! edrychwch ar y blaidd rŵan! Mae o'n cuddio tu ôl iddi hi.

A: Sh! Mae pawb yn chwerthin am ein pennau ni. Bydd yn dawel.

B: Ond edrychwch! Mae o reit wrth ei hochr hi. Hei! Hugan Fach Goch!
       Mae o reit wrth dy ochr di!

HFG: SShh!!

Darn Darllen

Sain Ffagan

Dach chi wedi bod yn Sain Ffagan erioed? Dyma Amgueddfa Werin Cymru, ac mae'n werth ei gweld. Ar dir plasty Sain Ffagan, llai na phum milltir o Gaerdydd, mae dros bedwar deg o adeiladau wedi eu symud, garreg wrth garreg, o bob rhan o Gymru.

Cafodd y plasty ei roi i bobl Cymru ym 1946, ac ym 1948 agorwyd yr Amgueddfa. Mae'r castell yn fendigedig, ac o'i gwmpas o mae gardd brydferth iawn. Ond wrth gwrs, mae cannoedd o gestyll ar agor ar draws Ewrop. Beth sy'n arbennig am Sain Ffagan yw'r

adeiladau eraill - bythynnod, ffermdai, capeli, melinau - sy'n dangos sut oedd pobl
Cymru yn byw ers talwm.

Pan ewch i mewn i'r safle, mi welwch chi arddangosfa ddiddorol o offer ffermio,
gwisgoedd ac offerynnau cerddorol Cymru. Mae tŷ bwyta yna hefyd! Wedyn, gallwch
chi grwydro'r 100 erw fel dach chi eisiau. Mae 'Siop Gwalia' o Ben-y-bont ar Ogwr yn
ddiddorol iawn, ac un ochr i'r siop fel siop groser ers talwm. Wrth ei hochr hi mae rhan
o'r siop yn gwerthu bwyd Cymru. Uwch ei phen hi mae caffi bach yn cynnig paned a
chacennau blasus!

Ewch heibio i'r siop, tu ôl iddi, ac mi welwch chi Sefydliad y Glowyr. Adeilad crand
iawn yw hwn o ardal Caerffili. Tu mewn iddo, mae Llyfrgell, Neuadd Gyngerdd, Ystafell
Filiards a stafelloedd eraill. Os trowch i'r chwith ar ôl dod allan o'r Sefydliad mi welwch
chi res o dai lle byddai'r glowyr yn byw. Dyma rai o'r adeiladau mwya diddorol yn Sain
Ffagan - tai Rhyd-y-Car o Ferthyr Tudful. Mae chwech o dai, y cyntaf fel y basai fo ym
1805 pan gafodd y rhes ei chodi, yr ail fel y basai fo ym 1855, wedyn 1895, 1925, 1955
ac yn olaf ym 1985. (Cafodd y tai eu symud i Sain Ffagan yn fuan wedyn.) Mae gan bob
tŷ ardd fach hefyd, sy'n dangos fel mae garddio wedi newid mewn dwy ganrif!

Ym mis Ebrill 2001, penderfynodd y Cynulliad y dylai Amgueddfa Genedlaethol
Cymru fod am ddim i bawb! Felly does dim rhaid i neb dalu i ymweld â Sain Ffagan,
sy'n rhan o'r Amgueddfa Genedlaethol. Y tro nesaf dach chi yn yr ardal, ewch i Sain
Ffagan, yn enwedig os dach chi yno yn ystod Calan Mai, Gŵyl Ifan (Mehefin 21 -
y dydd hiraf), neu Galan Gaeaf. Mi gewch chi ddathlu'r hen wyliau Celtaidd!

Ym mhob adeilad bron mae rhywun sy'n gwybod llawer iawn am hanes yr
adeilad hwnnw. Mae bron pob un yn siarad Cymraeg ac wrth eu bodd yn siarad
efo pobl sy'n dysgu Cymraeg. Felly mae Sain Ffagan yn lle perffaith i ymarfer eich
Cymraeg a dysgu am hanes Cymru.

 Cwestiynau

Trafodwch y cwestiynau yma efo'ch partner.

i.   Lle yn union mae Amgueddfa Werin Cymru?
ii.   Pryd dechreuodd pobl ymweld â'r Amgueddfa?
iii.   Be' sy'n agos i fynedfa'r Amgueddfa?
iv.   Faint o dir sy gan yr Amgueddfa?
v.   Be' sy yn siop Gwalia?
vi.   Be' sy yn Sefydliad y Glowyr?
vii.   Pam mae stryd Rhyd-y-Car yn ddiddorol?
viii.   Be' ddigwyddodd yn Ebrill 2001?
ix.   Pam dylech chi fynd yno ar Fai'r cyntaf neu Hydref 31?
x.   Be' fedrwch chi wneud os ewch chi i Sain Ffagan?

Sgwrsio

i.   Dach chi'n un (d)da am roi cyfarwyddiadau i bobl?
ii. Dach chi'n un (d)da am ffeindio'ch ffordd o gwmpas dinas ddieithr?
     Dach chi'n hoffi chwilio am lefydd mewn dinas ddieithr?
iii. Dach chi fel arfer yn gyrru neu'n darllen y map pan
     dach chi'n teithio efo rhywun i rywle newydd?
iv. Dach chi'n tueddu i fynd ar goll yn aml?
     Oes gynnoch chi brofiadau o fod ar goll erioed?

i ffwrdd

bant

Tafodiaith!

Geirfa

arddangosfa (-feydd) (b)	-	*exhibition(s)*
blaidd (bleiddiaid)	-	*wolf (wolves)*
bwthyn (bythynnod)	-	*cottage(s)*
Calan Gaeaf	-	*Halloween*
Calan Mai	-	*1st of May, May Day*
cropian	-	*to crawl*
chwerthin am ben	-	*to laugh at*
dieithr	-	*unfamiliar*
garreg wrth garreg	-	*stone by stone*
gŵyl Geltaidd (gwyliau Celtaidd) (b)	-	*Celtic festival(s)*
Gŵyl Ifan	-	*Midsummer's Day*
melin(au) (b)	-	*mill(s)*
mynedfa (mynedfeydd) (b)	-	*entrance(s)*
offer	-	*tools*
plasty (plastai)	-	*mansion(s)*
rhes(i) (b)	-	*row(s)*
Sefydliad y Glowyr	-	*Miners' Institute*
torri ar draws	-	*to interrupt, lit. to cut across*
tueddu	-	*to tend to*
yn union	-	*exactly*

Cwrs Canolradd: Uned 24

Nod: Adolygu'r treigladau

Dyma'r rhai mwya cyffredin!

Y Treiglad Trwynol

i. ar ôl **yn**
ii. ar ôl **fy**

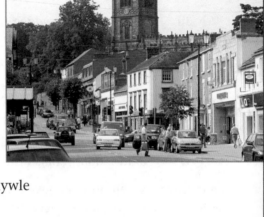

C	Mae fy nghefnder i yng Nghaerdydd
T	Mae fy nhaid i yn Nhreffynnon
B	Mae fy mrawd i ym Mangor
G	Mae fy ngŵr/ngwraig i yng Ngwynedd yn rhywle
P	Mae fy mhlant i ym Mhontypridd
D	Mae fy neintydd i yn Nolgellau

Dewiswch un o'r treigladau yma i ddweud lle mae rhywun o'ch teulu chi!

Y Treiglad Llaes

i. ar ddechrau brawddeg negyddol, e.e. thalodd hi ddim byd
ii. ar ôl **ei** benywaidd, e.e. ei theulu hi
iii. ar ôl **a** (*and*) a **na** (*or* negyddol), e.e. dw i'n licio te a choffi; dw i ddim wedi bwyta brecwast na chinio
iv. ar ôl **na** (*than*), e.e. mae'n well gen i de na choffi

Efo'ch partner, deudwch:
A: Dw i'n licio ... a ...
B: Dw i ddim yn licio ... na ...

yn cynnwys y geiriau yma: te/coffi, cennin/tatws, tomato/caws, pys/pannas, cyri/pasta.

Y Treiglad Meddal

i.   ar ôl **dy**, **ei** (gwrywaidd)

ii. ar ôl **o**, **i**, **wrth**, **am**, **ar**, **at**, **dan**, **dros**, **drwy**, **gan**.

Ymarfer

Efo'ch partner, deudwch:

> **A:** O le mae ... Gareth yn dŵad?
>
> **B:** Mae ei ... o'n dŵad o ...

yn cynnwys y geiriau yma: tad/Pontypridd, mam/Tal-y-bont, brawd/Caerdydd, cefnder/Prestatyn, nain/Caernarfon, taid/Dolgellau.

iii. ar ddechrau brawddeg negyddol (ar wahân i TCP, wrth gwrs),
e.e. Ddarllenais i ddim byd.

iv. ar ddechrau cwestiwn, e.e. Ddarllenoch chi rywbeth? Wnaethoch chi?

Ymarfer

Efo'ch partner, atebwch y cwestiwn efo brawddeg negyddol, e.e.

> **A:** Ddarllenoch chi rywbeth?
>
> **B:** Naddo, ddarllenais i ddim byd.

yn cynnwys y geiriau yma: gweld rhywbeth, bwyta rhywbeth, llosgi rhywbeth, dallt rhywbeth, gorffen rhywbeth, coginio rhywbeth, talu rhywbeth.

v.   ar ôl **un**, **y** (neu **'r**) os ydy'r gair yn fenywaidd, e.e. un ferch, y gath.

vi.   ar ôl **dau** a **dwy**, e.e. dau ben, dwy fraich.

vii. ar ôl **dyma**, neu **dyna**, e.e. Dyma waith caled!

viii. ansoddair ar ôl enw benywaidd, e.e. cath fawr.

Ymarfer

y	cath, merch, braich, taflen,	mawr, bach, coch, du,
un	pêl, gwraig, llaw, rhan, draig	twp, gwych, rhad, diflas,
dau / dwy		bendigedig, poeth, drud,
dyma / dyna	tŷ, dyn, car, pen, gŵr, lle,	taclus, llwyd
	gwin, mis, rhif	

Efo'ch partner, dewiswch un gair o'r canol. Rhaid i'ch partner ddewis gair addas ar y chwith ac ar y dde, a rhoi'r treiglad iawn. Cofiwch: dydy geiriau gwrywaidd ddim yn treiglo ar ôl **y** ac **un**, a dydy'r ansoddair ddim yn treiglo ar ôl enw gwrywaidd. Mi fydd eich tiwtor yn helpu.

ix.   Gwrthrych (*object*). Mae gwrthrych berf gryno'n treiglo'n feddal,
       e.e. Mi ges i ddigon, Mi welais i ferch.
x.   Berfau ar ôl goddrych (*subject*), e.e. ar ôl i John fynd, rhaid iddi hi adael.
xi.   Enwau ac ansoddeiriau ar ôl **yn** (neu **'n**), ond nid berfau,
       e.e. Dw i'n briod, Dw i'n priodi.

Mae rhagor o reolau, ond dyma'r rhai pwysica.
Mae'n well dysgu enghreifftiau na gwybod rheolau.

Tasg - cywiro darn heb dreigladau

Mae'r darn bach yma wedi colli llawer o'r treigladau. Rhowch gylch o gwmpas y
camgymeriadau, a rhowch y treiglad cywir i mewn. (Cliw - mae 10 camgymeriad!)
Efo'ch partner a'r tiwtor, trafodwch y camgymeriadau.

> Helo. Dw i'n byw yn Caersŵs. Fy enw i ydy María, ac mi hoffwn i dweud
> rhywbeth bach am fy cefndir i. Dw i'n dŵad o Llundain yn wreiddiol,
> dw i'n priod â Gustav, ac mae gynnon ni ddau mab, Klaus a Johan. Mi
> gaeth Klaus parti pen-blwydd mawr wythnos diwetha: mae o'n deg oed.
> Mae Caersŵs yn ardal prydferth iawn, a baswn i ddim isio symud!

Tasg - nabod arddodiaid

Efo'ch partner, darllenwch y ddeialog yma.
Rhowch linell dan bob arddodiad (*preposition*).

A: Dw i'n meddwl mynd am benwythnos i Ffrainc.
B: Grêt! Mi awn ni ar long.
A: Ella awn ni dan ddŵr y sianel mewn trên.
B: Be' am fynd dros glogwyni Dover ar awyren?
A: Na, mi awn ni drwy dwnnel yr Eurostar.
B: Mi wnes i glywed gan forwr bod storm ar y ffordd.
A: Mi awn ni at fynedfa'r porthladd i weld cyn penderfynu.
B: Paid dŵad heb ddigon o bres i brynu bwyd a gwin!

🙂 Deialog

Efo'ch partner, darllenwch y ddeialog yma.

A: Wyt ti'n nabod Ceri o'r grŵp 'Bore Gwener'?
B: Ydy ei chyfnither hi'n byw yng Nghaernarfon?
A: Nac ydy, ond mae ei chefnder hi'n byw ym Mangor.

B: Ydy ei thiwtor Cymraeg hi'n dŵad o Langefni?

A: Nac ydy, ond mae ei hathrawes piano hi'n dŵad o Gaergybi.

B: Ydy ei chi hi newydd gael dau gi bach?

A: Nac ydy, ond mae ei pharot hi newydd ddysgu siarad.

B: Be' mae o'n ddweud?

A: 'Helo Ceri', wrth gwrs. Wel - wyt ti'n nabod Ceri neu beidio?

B: Nabod Ceri? Ydw, wrth gwrs. Hi oedd fy ffrind gorau i ers talwm.
Ond dw i ddim wedi siarad efo hi ers tipyn.

A: Nac wyt, mae'n amlwg.

Darn Darllen

Atgofion

Pan oedden ni'n blant doedd pobl ddim yn ofni dynion drwg rownd pob cornel fel
heddiw. Ella fod pobl ddrwg o gwmpas ond doedden ni ddim yn gwybod amdanyn nhw.
Chaiff plant heddiw ddim rhedeg yn rhydd fel roedden ni'n wneud ers talwm. Chofia
i ddim llawer am chwarae yn yr ysgol gynradd, ond dw i'n cofio un lle yn dda iawn.

Pan o'n i'n blentyn, ro'n i'n mynd yn aml i Gwm Cywarch, yng nghanol
Sir Feirionnydd (Gwynedd erbyn hyn). Roedd fy nain a 'nhaid yn byw mewn
bwthyn bach ar ochr mynydd. Bob haf ro'n i'n cyfarfod fy nghefndryd yno,
ac yn chwarae yn y caeau o fore gwyn tan nos.

Roedd dringo hen goed yn boblogaidd iawn - hyd yn oed pan oedd un neu ddau
ohonon ni'n syrthio i'r llawr neu i'r nant. Dw i ddim yn cofio neb yn brifo'n ofnadwy -
thorrodd neb fraich na choes erioed. Roedd fy mrawd yn ymweld â'r ysbyty
bach yn y dref yn aml ond ddigwyddodd dim iddo yng Nghwm Cywarch.

Y peth gorau am y cwm oedd y nant. Roedd hi'n rhedeg lawr y mynydd
fel rhuban. Roedd un rhaeadr fach a phwll o ddŵr oedd yn ddigon dwfn i
nofio ynddo fo. Roedd hi'n fendigedig dringo'r cerrig llithrig - roedd y lle'n
fwsog i gyd ac yn brydferth iawn.

Yn un lle roedd twnnel bach sgwâr o dan y ffordd i'r nant fynd lawr
at yr afon yng ngwaelod y cwm. Roedd hi'n ddigon mawr i fedru cropian
trwyddi - a gwlychu'n ofnadwy wrth gwrs!

Dros yr afon roedd pont - wel, boncyff hen goeden a dweud y gwir.
Ffordd wych i groesi'r afon wrth gwrs a chyfle i ni wlychu eto! Doedd fy
nghyfnither ddim yn licio gwlychu ei thraed heb sôn am ei dillad, felly
roedd hi'n croesi'n ofalus iawn.

Yn yr haf roedden ni'n bwyta mefus gwyllt, ac yn yr hydref roedden ni'n casglu cnau - os oedd y gwiwerod wedi gadael rhai i ni. Roedden ni'n fwy llwyddiannus yn casglu mwyar duon.

Dw i ddim yn cofio glaw yn y cwm - dim ond haul poeth. Dydy hynny ddim yn bosibl wrth gwrs, ond mae'r cof yn beth rhyfedd.

Dydy fy nhaid a nain ddim yn fyw rŵan, ond dw i'n mynd â fy mhlant i Gwm Cywarch bob haf iddyn nhw weld lle roedd eu mam a'u hewythr yn chwarae ers talwm. Oes nefoedd fel hon yn eich atgofion chi?

 Sgwrsio

i. Dach chi'n cofio rhywle arbennig iawn pan oeddech chi'n blant? Lle oeddech chi'n chwarae? Oedd gemau arbennig i lefydd arbennig?
ii. Dach chi wedi bod yn ôl i lefydd lle oeddech chi'n arfer chwarae? Os ydach chi, ydy'r lle wedi newid neu ydy o'n dal i fod yn debyg?

 # Geirfa

arddodiad (arddodiaid)	-	*preposition(s)*	gwiwer(od) (b)	- *squirrel(s)*
atgof(ion)	-	*memory (-ies)*	gwrthrych(au)	- *object(s)*
boncyff(ion)	-	*tree trunk(s)*	llithrig	- *slippery*
brifo	-	*to be hurt*	llwyddiannus	- *successful*
camgymeriad(au)	-	*mistake(s)*	mefus gwyllt	- *wild strawberries*
cefndir(oedd)	-	*background(s)*	morwr (morwyr)	- *sailor(s)*
cenhinen (cennin) (b)	-	*leek(s)*	mwsog	- *moss*
ci bach (cŵn bach)	-	*puppy (-ies)*	mwyar duon	- *blackberries*
clogwyn(i)	-	*cliff(s)*	nant (nentydd) (b)	- *brook(s)*
cneuen (cnau) (b)	-	*nut(s)*	nefoedd (b)	- *heaven*
cywiro	-	*to correct*	o fore gwyn tan nos	- *from dawn to dusk*
draig (dreigiau) (b)	-	*dragon(s)*		
enghraifft (enghreifftiau) (b)	-	*example(s)*	panasen (pannas) (b)	- *parsnip(s)*
			rhaeadr(au) (b)	- *waterfall(s)*
goddrych(au)	-	*subject(s)*	rhuban(au)	- *ribbon(s)*

Cwrs Canolradd: Uned 25

Nod: Adolygu ac ymestyn

Adolygu - tasg siarad

Edrychwch ar yr hysbysebion yma. Rhaid i chi ddewis un hysbyseb a rhaid i'ch partner ddewis yr hysbyseb arall. Gofynnwch gwestiynau am y nosweithiau. Perswadiwch eich partner i ddŵad i'ch noson chi.

NOSON LAWEN

16 Mehefin
Fferm Bryn Mawr
7.30 ymlaen

efo Ifan Gruffudd,
Côr y Traeth
Tocynnau: Siop y Castell

£5 y pen,
£3 i blant dan 12 oed

Cyrraedd: i'r chwith ar ôl ysgol
Llanaber, dwy filltir wedyn,
dros y bont, i'r dde.

Elw: Canolfan yr henoed

Cyngerdd Mawreddog

16 Mehefin
Neuadd Aberwylan
8.00 ymlaen

efo Wyn Lewis,
pianydd byd-enwog

Tocynnau: Siop y Sosban
£7 y pen, £5 i blant dan 12 oed

Cyrraedd: ar yr A490,
drwy Lan-saint, i ganol Aberwylan,
i'r chwith ar y sgwâr

Elw: Ysbyty Aberwylan

Gofynnwch:

i.   Lle mae'r noson
ii. Sut mae cyrraedd
iii. Pa ddyddiad
iv. Faint o'r gloch
v.   Y gost
vi. Sut mae cael tocyn
vii. Pwy sy'n cymryd rhan
viii. At be' mae'r elw'n mynd

Adolygu - byth / erioed

Efo'ch partner, rhowch **byth** neu **erioed** yn y bwlch.

i.   A i _____ at y deintydd yna eto!

ii.   Welais i _____ mohono fo yn y lle wedyn.

iii.   Doedd Diane _____ yn arfer mynd i'r eglwys.

iv.   Chlywais i _____ y fath beth.

v.   Wyt ti wedi bod yn Sbaen _____ ?

vi.   Wna i _____ briodi eto!

vii.   Do'n i _____ wedi gweld y dyn o'r blaen!

viii.   Dydy o _____ yn ymolchi!

📖 Darnau Darllen

Darllenwch naill ai lythyr 1, neu lythyr 2. Ar ôl darllen un llythyr, ewch i siarad efo rhywun sy wedi darllen y llythyr arall i drafod be' oedd y gwahaniaethau. Sut basech chi'n ateb y llythyr yma?

Llythyr 1

> Annwyl Mr Evans,
>
> Dw i'n ysgrifennu ar ran pwyllgor neuadd y pentre, Cwm Du. Fel dach chi'n gwybod, mae canolfan i'r hen bobl yn cael ei hadeiladu yn y pentre ar hyn o bryd. Mi fydd hi'n cael ei hagor ar 11 Ionawr, ac roedd y pwyllgor yn meddwl y basai'n braf tasech chi'n canu unawd yn y noson agoriadol. Chawn ni byth noson fel hon yn y pentre eto!
>
> Mi ges i'r pleser o'ch clywed chi mewn cyngerdd yn ddiweddar, ac ro'n i a fy ffrindiau'n meddwl eich bod chi'n dda iawn. Mi fydd hon yn noson fawr iawn efo'r dywysoges Ann yno i agor y ganolfan yn swyddogol, felly mi fydd rhaid canu 'We'll Keep a Welcome in the Hillsides'. Yn anffodus, fydd y pwyllgor ddim yn medru talu costau i chi.
>
> Yn gywir,
> Miss M. Hughes

Llythyr 2

Annwyl Mr Jones,

Dw i'n ysgrifennu ar ran pwyllgor neuadd y pentre, Cwm Glas. Fel dach
chi'n gwybod, mae neuadd newydd yn cael ei hadeiladu yn y pentre ar
hyn o bryd. Mi fydd hi'n cael ei hagor ar 21 Chwefror, ac roedd y pwyllgor
yn meddwl y basai'n braf tasai eich côr chi'n canu yn y noson agoriadol.
Chawn ni byth noson fel hon yn y pentre eto!

Mi ges i'r pleser o'ch clywed chi mewn cyngerdd yn ddiweddar, ac ro'n i
a'r gŵr yn meddwl eich bod chi'n dda iawn. Mi fydd hon yn noson fawr
iawn efo'r tywysog Charles yno i agor y neuadd yn swyddogol, felly mi
fydd rhaid canu 'God Save the Queen'. Mi fydd y pwyllgor yn medru talu
£50 o gostau i chi.

Yn gywir,
Mrs L Morgan

Adolygu - treigladau

Efo'ch partner, darllenwch y darn yma yn uchel. Mae'r geiriau sy'n ffitio yn y
bylchau ar y dde. Rhaid i'ch partner chi ddweud y gair, efo'r treiglad cywir, wrth gwrs!

Annwyl Marged,	
Dw i'n ysgrifennu atat i ynglŷn â'r _____. Diolch	**priodas**
i ti am _____ i ganu'r delyn. Mi fasai 'Ar Hyd y Nos'	**cytuno**
yn _____ !	**gwych**
Mae hi'n eglwys _____ ac mae'n hawdd dŵad o hyd iddi.	**mawr**
Dos heibio i'r ysgol _____, ac yna tro i'r dde. Ar ôl i ti	**cynradd**
basio'r _____, parcia'r car ar y chwith. Mae'r landlord yn	**tafarn**
ffrind da i ni, ac mi ddwedodd o y basai'n iawn i ni _____ yno.	**parcio**
Mi fyddi di'n chwarae yng _____ yr eglwys, wrth i ni gerdded	**cefn**
i mewn. _____ ni ddim cyfle i gael sgwrs tan yn hwyrach,	**cawn**
felly diolch o flaen llaw am helpu. Dan ni'n edrych ymlaen at	
dy _____ di ar y cyntaf o Fai.	**gweld**
Hwyl, Sara	

 # Gwrando

1. Be' mae Nia Jones yn ei wneud ym Mhatagonia?
2. Pam dydy Nia ddim yn dweud "Bore da"?
3. I le mae Nia'n mynd i fwyta heno?

4. Pa fwyd dydy Nia ddim yn ei hoffi?
5. Be' wnaeth hi cyn mynd i Batagonia?
6. Sut mae pobl Patagonia wedi helpu Nia efo'i sgript? Nodwch un ffordd.

7. Ym mha ffordd mae agwedd pobl ifanc wedi newid?
8. Pryd dechreuodd tiwtoriaid o Gymru fynd i Batagonia i ddysgu Cymraeg?
9. Pam mae pobl Patagonia'n teimlo'n agosach i Gymru erbyn hyn?
   Nodwch 2 ateb.

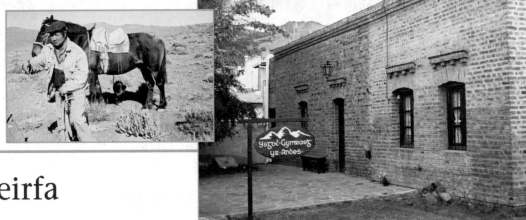

Geirfa

agoriadol	-	*opening*
agwedd(au) (b)	-	*attitude(s)*
dibynnu	-	*to depend*
elw	-	*profit*
gwahaniaeth(au)	-	*difference(s)*
hysbyseb(ion) (b)	-	*advertisement(s)*
llysieuwraig (b)	-	*vegetarian (female)*
perswadio	-	*to persuade*
swyddogol	-	*official*
tywysog(ion)	-	*prince(s)*
tywysoges(au) (b)	-	*princess(es)*
ymuno â	-	*to join*

Tafodiaith!

Cwrs Canolradd: Uned 26

Nod: Trafod diddordebau

Ymarfer

Dw i'n mwynhau garddio
Dw i'n licio pêl-droed
Dw i wrth fy modd yn coginio
Dw i wrth fy modd efo DIY
Be' dw i'n licio wneud fwya ydy canu
Mae'n well gen i edrych ar y teledu na dim byd arall!

Tasg - rhoi trefn ar y diddordebau

Efo'ch partner trafodwch y rhestr yma o ddiddordebau. Ceisiwch gytuno ar
y drefn - y pethau dach chi'n hoffi fwya (ar y brig) neu ddim yn eu hoffi (ar y gwaelod).
Pa weithgareddau dylech chi fod yn eu gwneud?

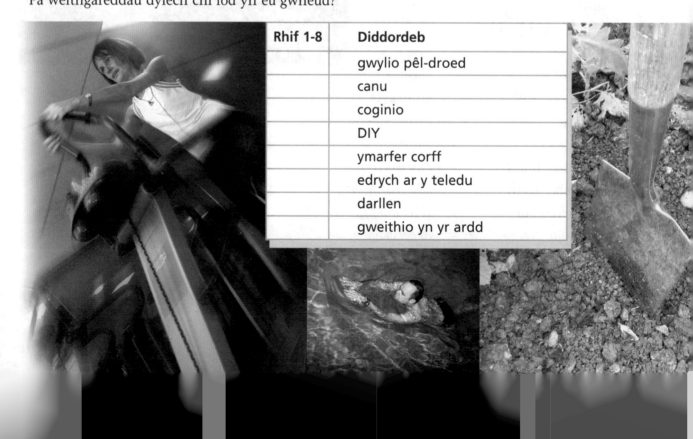

Rhif 1-8	Diddordeb
	gwylio pêl-droed
	canu
	coginio
	DIY
	ymarfer corff
	edrych ar y teledu
	darllen
	gweithio yn yr ardd

Ymarfer

Mae gen i ddiddordeb mewn coginio
Mae gen i ddiddordeb mewn celf fodern
Mae gen i ddiddordeb mewn llyfrau

Mae gen i ddiddordeb yng nghoginio Jamie Oliver
Mae gen i ddiddordeb yng ngwaith Picasso
Mae gen i ddiddordeb yn llyfrau Daniel Owen

Be' ydy'r gwahaniaeth rhwng y ddwy frawddeg yma:
> Mae gen i ddiddordeb yng nghoginio Jamie Oliver
> Mae gen i ddiddordeb mewn coginio Jamie Oliver

Trafodwch efo'ch tiwtor!

Oes gynnoch chi ddiddordeb mewn hanes?
Mae gen i ddiddordeb yn y cyfnod Rhufeinig
Mae gen i ddiddordeb yn y cyfnod Celtaidd
Mae gen i ddiddordeb yng nghyfnod y Rhufeiniaid
Mae gen i ddiddordeb yng nghyfnod y Celtiaid

Oes gynnoch chi ddiddordeb yn hanes Cymru?
Oes gynnoch chi ddiddordeb yn hanes Iwerddon?
Oes gynnoch chi ddiddordeb mewn hanes cynnar?
Oes gynnoch chi ddiddordeb mewn hanes diweddar?

Sgwrsio

Atebwch y cwestiynau uchod.
> Dach chi'n gwylio rhaglenni am hanes?
> Dach chi'n darllen llyfrau hanes?
> Dach chi'n gwybod unrhyw beth am hanes eich ardal neu eich pentre chi?

Deialog

A: Be' wyt ti'n wneud yn dy amser hamdden, Dudley?

D: Dw i wrth fy modd yn coginio, wrth gwrs.

A: Oes gynnoch chi ddiddordebau, Venus a Serena?

V a S: Dan ni wrth ein bodd yn ymarfer tennis efo'n gilydd drwy'r dydd.

A: Be' amdanat ti, Victoria?

V: Dw i wrth fy modd yn canu - ac yn edrych ar David yn chwarae pêl-droed, wrth gwrs.

A: Wel Bryn, be' wyt ti wrth dy fodd yn wneud yn dy amser hamdden?

B: Dw i'n cytuno efo Victoria. Dw i wrth fy modd yn gwylio pêl-droed hefyd.

A: Pêl-droed, wir? Be' am ganu opera?

B: Dyna be' ydy fy ngwaith i. Gofynnoch chi be' dw i wrth fy modd yn wneud yn fy amser hamdden!

Meddyliwch am ddiddordebau pobl enwog eraill i'w rhoi yn y ddeialog.

Tasg - cwestiynau am ddiddordebau

Mi fydd eich tiwtor yn rhoi cardiau i bob grŵp. Rhaid i chi droi un cerdyn ar y tro, ac ateb y cwestiynau yma. Rhaid i chi ddychmygu'r atebion! Gall y grŵp ofyn rhagor o gwestiynau.

1. Ers faint dach chi'n **pysgota**?
2. Sut dechreuoch chi **bysgota**?
3. Pa mor aml dach chi'n **pysgota**?
4. Pa mor dda dach chi'n **pysgota**?
5. Ydy **pysgota**'n hobi drud?
6. Sut basai rhywun yn dysgu sut i **bysgota**?

Deialog

Sgwrs rhwng Twm a Taid

Taid: Wyt ti'n dŵad allan efo fi y penwythnos yma?

Twm: I le?

Taid: I'r gymdeithas trenau bach.

Twm: Na wna i wir. Dw i isio aros adre.

Taid: Pam? Mae 'na hwyl i'w gael efo'r injian stêm yn tynnu'r trenau bach.

Twm: Mae'n well gen i chwarae efo fy modelau yn yr atig.

Taid: Be' yn union wyt ti'n wneud i fyny fan'na?

Twm: Wel, dw i'n gosod y traciau mewn gwahanol batrymau...

Taid: Mae'n llawer mwy o hwyl gosod traciau drwy'r coed!

Twm: Ond mae'n gas gen i fod yn oer!

Taid: Mi gei di fenthyg siwt fawr i'w gwisgo dros dy ddillad.

Twm: Mae gen i ormod o waith ysgol!

Taid: Mae gen ti ddigon o amser i ddiflannu am oriau i'r atig 'na!

Twm: Mi fydda i'n llwgu! Does dim bwyd yn agos at y goedwig.

Taid: Dan ni'n mynd â fflasg o gawl poeth a brechdanau - ac mi gei di flas ar fara brith gwraig Bob!

Twm: Pam dach chi isio i mi ddŵad i helpu?

Taid: Pan oeddet ti'n hogyn bach roeddet ti wrth dy fodd yn dŵad ar y trên bach. Mae mwy o draciau rŵan. A dan ni angen tipyn o 'waed newydd' yn y gymdeithas. Ty'd, mi fyddi di wrth dy fodd. Wir!

Twm: O'r gorau - mi ddo i efo chi ddydd Sadwrn - os dewch chi i weld fy ngrŵp 'rap' i'n chwarae yn y clwb nos Sadwrn.

Taid: Oes rhaid i mi?

Twm: Dewch! Os diffoddwch chi eich teclyn clywed, wnewch chi ddim clywed llawer beth bynnag.

Taid: Iawn!

Darn Darllen

Dechrau Dawnsio

Yma mae Pam Evans-Hughes yn sôn am ei diddordeb mewn dawnsio.

Dechreuais i ddawnsio pan o'n i'n ddim ond tair oed. Tri deg pedair o flynyddoedd yn ddiweddarach ar ôl priodi a chael dau o blant, dw i'n dal i ddawnsio. A dweud y gwir, dw i'n gwneud mwy nag erioed!

Dawnsio tap a dawns-a-chân oedd fy hoff steil o ddawns, pan o'n i'n blentyn. Rhwng chwech a deuddeg oed, dawnsiais i mewn cyngherddau efo Keith Harries, Hughie Green a'r canwr Ronnie Hilton. Ro'n i'n wyth oed pan ddechreuais i ddawnsio *Ballroom* a *Latin American*. Saith mlynedd wedyn, ar ôl i mi fynd trwy'r arholiadau i gyd, ro'n i'n gallu dysgu'r rhain fy hun. Yn wir, mae un o fy nisgyblion i wedi cynrychioli Cymru ar *Come Dancing*.

Tra o'n i yn y Brifysgol yn Llanbedr Pont Steffan, ro'n i'n dal i ddawnsio. Yno, dysgais i grwpiau gwahanol i gystadlu yn yr Eisteddfod Ryng-golegol, sut i ddawnsio'r *Charleston* yn y Gystadleuaeth Ddawns Genedlaethol, a fi fy hun yn gwneud dawns tap yn lle dawns y glocsen! Doedd yr Eisteddfod ddim wedi gweld dim byd tebyg erioed o'r blaen, a dydy hi ddim wedi gweld dim tebyg ers hynny am wn i!

Ers deng mlynedd, dw i wedi bod yn goreograffydd ar y pantomeim Nadolig lleol, a nifer o sioeau cerddorol fel *Cabaret*, *Godspell* a *La Cage Aux Folles*. Dw i hefyd yn dysgu dawnsio tap, dawnsio *jazz*, dawnsio disgo i blant ac oedolion, a dw i wedi ailddechrau dawnsio ar lwyfan efo fy mhartner dawnsio, Russell.

Dw i hefyd wedi bod yn gweithio yn Gymraeg yn ddiweddar gyda Theatr Outreach yng Nghlwyd. Dan ni wedi cynhyrchu dwy fideo o'r enw STONC A ROC, fideos sy'n helpu plant i ymarfer a gwella eu Cymraeg drwy symud, dawns a chân.

Dw i ddim eisiau rhoi'r gorau i ddawnsio eto, a dw i'n gobeithio bydda i'n dawnsio am o leia 37 mlynedd arall!!

Cwestiynau - trafodwch efo'ch partner

i. Pryd dechreuodd Pam ddawnsio?

ii. Enwch rai o'r bobl enwog mae hi wedi bod yn dawnsio efo nhw.

iii. Be' mae un o'i disgyblion hi wedi wneud?

iv. Be' wnaeth hi pan oedd hi yn y coleg?

v. Pa sioeau cerdd mae hi wedi bod yn gweithio arnyn nhw yn ddiweddar?

vi. Pwy ydy Russell?

vii. Be' ydy pwrpas y fideo STONC A ROC?

viii. Ydy hi'n gobeithio dal ati i ddawnsio?

Sgwrsio

i.   Be' ydy eich diddordebau (ar wahân i ddysgu Cymraeg wrth gwrs)?

ii.   Dach chi'n mwynhau gwneud pethau 'cymdeithasol', efo criw mawr o bobl?

iii.   Dach chi'n mwynhau gweithio ar rywbeth ar eich pen eich hun i ymlacio?

iv.   Pan oeddech chi'n blant, be' oeddech chi'n wneud yn eich amser hamdden?

v.   Oes unrhyw ddiddordeb o'ch plentyndod wedi para hyd heddiw?

 Geirfa

isio
ishe
Tafodiaith!

ar y brig	- on the top
celf fodern (b)	- modern art
Celtiaid	- Celts
coreograffydd (coreograffwyr)	- choreographer(s)
cyfnod Celtaidd	- Celtic period
cyfnod Rhufeinig	- Roman period
cymdeithas(au) (b)	- association(s), society (-ies)
cymdeithasol	- social
cynrychioli	- to represent
dal ati	- to carry on
dal i (ddawnsio)	- to carry on (dancing)
dawns y glocsen (b)	- clog dance
dawnsio llinell	- line dancing
diflannu	- to disappear
diffodd	- to switch off, to extinguish, to put out
disgybl(ion)	- pupil(s)
dychmygu	- to imagine
ers hynny	- since then
gwaed newydd	- new blood
gwyddbwyll	- chess
hanes diweddar	- modern history, recent history
llwgu	- to starve
mi gei di flas ar, cael blas ar	- you'll enjoy, to enjoy
patrwm (patrymau)	- pattern(s)
plentyndod	- childhood
rhoi'r gorau i	- to give up
Rhufeiniaid	- Romans
sioe gerdd (sioeau cerdd)	- musical(s)
teclyn clywed	- hearing aid
trefnu blodau	- flower arranging; to arrange flowers
ymlacio	- to relax

Cwrs Canolradd: Uned 27

Nod: Trafod gwaith

Ymarfer

> **Dach chi'n gweithio?**
> Ydw, dw i'n gweithio...
> Nac ydw, dw i wedi ymddeol ers...
>
> **Dach chi'n mwynhau eich gwaith?**
> **Oeddech chi'n mwynhau'r gwaith?**
> Dw i wrth fy modd - mae'n amrywiol iawn.
> Mae'n swydd ddiddorol!
> Ydw, ar y cyfan.
> Mae'n dibynnu ar y diwrnod!
> Wel, mae'n talu'r morgais!
> Dw i'n casáu'r swydd - mae'n ddiflas iawn.
>
> **Be' dach chi'n wneud ar ddiwrnod cyffredin?**
> **Be' oeddech chi'n wneud ar ddiwrnod cyffredin?**

Sgwrsio

i.   Oeddech chi'n gweithio yn ystod y gwyliau,
        pan oeddech chi'n ifanc?

ii.   Dach chi'n meddwl ei bod hi'n syniad
        da i bobl ifanc weithio?

iii.   Ddylai myfyrwyr orfod gweithio i gynnal
        eu hunain yn y coleg?

iv.   Dach chi wedi gwneud llawer o swyddi
        gwahanol? Be' oedd eich swydd fwya
        anghyffredin? Pa un oedd y fwya
        diddorol i chi?

Tasg - swyddi delfrydol

Pa un ydy'r swydd ddelfrydol? Rhowch y rhestr hon mewn trefn
o 1 (y swydd orau) i 8 (y swydd waetha). Rhaid i chi gytuno efo'ch partner.

Rhif 1-8	Swydd
	chwaraewr (pêl-droed, neu un o'r chwaraeon eraill)
	canwr
	actor
	cogydd
	tiwtor Cymraeg
	gwleidydd
	plismon
	nyrs

Pa swydd fasech chi'n casáu ei gwneud?

Tasg - ceisio am swydd

NANI

i edrych ar ôl plant 1 a 5 oed
Rhaid i'r ymgeisydd llwyddiannus
siarad Cymraeg efo'r plant drwy'r
amser. Mae'r tad yn actor enwog
ac yn awyddus i'r plant fod yn rhugl
yn Gymraeg, ond dydy'r fam ddim
yn siarad Cymraeg nac yn dŵad o
Gymru. Lleolir y swydd yn Efrog
Newydd, ond disgwylir i'r ymgeisydd
llwyddiannus deithio efo'r teulu lle
bynnag mae'r ffilm ddiweddara.
Cyflog i'w drafod.

GWARCHOD CŴN

Mae cwmni o Warchodwyr Cŵn
yn chwilio am aelod brwdfrydig
newydd i'r tîm.
Rhaid i'r ymgeisydd llwyddiannus
fod yn berson taclus iawn; rhaid iddo
fo/iddi hi hoffi cŵn yn fawr a

mwynhau mynd am dro ym mhob
tywydd. Dim ond Cymraeg mae'r
cŵn yn siarad! Oriau hyblyg. Cyflog
i'w drafod.

TIWTOR CYMRAEG

Yn eisiau: tiwtor Cymraeg newydd
i ddechreuwyr yn unig. Dan ni'n
chwilio am rywun sy wedi dysgu
Cymraeg ei hun mewn
dosbarthiadau ac am helpu rhai
eraill sy'n dechrau dysgu. Oriau:
3 bore, 2 noson yr wythnos.
Cyflog i'w drafod.

**ARBENIGWR
CYFRIFIADUROL**

Mae Cwmni Cyfrifiadurol
Rhyngwladol yn chwilio am
Arbenigwr Cyfrifiadurol sy'n siarad
Cymraeg. Bydd yr ymgeisydd

llwyddiannus yn creu rhaglenni
cyfrifiadurol, yn rhoi cyngor yn
Gymraeg i gwsmeriaid pan fydd
problemau'n codi ac yn teithio
o amgylch ysgolion yn esbonio'r
rhaglenni.
Cyflog: i'w drafod.

NYRS

Mae un swydd nyrsio yn wag
yn yr Ysbyty Cymunedol lleol.
Rhaid i'r ymgeisydd llwyddiannus
fedru siarad Cymraeg yn enwedig
efo plant bach a hen bobl.
Cyflog i'w drafod, ac yn dibynnu
ar yr oriau gwaith.

Cwestiynau

    i.   Pa swydd sy'n apelio atoch chi?

    ii.   Be' ydy manteision ac anfanteision pob swydd?

    iii. Pa gwestiynau fasech chi'n gofyn i bobl oedd yn ceisio am y swyddi yma?

    iv. Gofynnwch i bawb yn y dosbarth pa swydd fasen nhw'n mynd amdani.

Deialog

Yn y Cyfweliad

A: Eisteddwch Mr/Ms Richards.

B: Diolch yn fawr.

A: Ga i ofyn pam wnaethoch chi drio am y swydd yma?

B: Mi welais i eich hysbyseb yn *Y Cymro*, ac roedd hi'n swnio'n ddiddorol.

A: Does gynnoch chi ddim profiad yn y maes.

B: Nac oes, ond ar ôl blynyddoedd yn yr un swydd, ro'n i'n meddwl y basai newid cyfeiriad yn syniad da.

A: Pa gymwysterau sy gynnoch chi ar gyfer y swydd?

B: Dim byd ar bapur, ond mae gen i ddiddordeb mawr.

A: Be' yn union sy'n apelio atoch chi, felly?

B: Dw i wrth fy modd efo bywyd gwyllt.

A: Pam dach chi'n meddwl y dylen ni roi'r swydd yma i chi?

B: Dw i'n meddwl basai fy mhrofiad yn fy ngwaith ar hyn o bryd yn ddefnyddiol iawn.

A: Be' ydy'ch swydd bresennol chi?

B: Tiwtor Cymraeg ydw i - ers ugain mlynedd.

A: Felly dach chi wedi arfer rheoli dosbarth - ond be' am reoli mwncïod?

B: Wel, mae gen i saith o blant.

A: Dw i'n gweld. Diolch am eich diddordeb Mr/Ms Richards. Mi fyddwn ni'n eich ffonio cyn diwedd yr wythnos i ddweud dach chi wedi cael y swydd neu beidio.

📖 Darn Darllen

Gwaith Mewn Gwisg Ffansi

Pan oeddwn i yn y coleg mi ges i gynnig swydd ddiddorol. Roedd y cwmni colur a phersawr Estée Lauder yn hysbysebu persawr newydd. Roedden nhw angen rhywun i ganu'r delyn mewn tair siop fawr - Brown's Caer, Lewis's Lerpwl a Lewis's Manceinion. Wythnos ym mhob siop o hanner awr wedi naw tan hanner awr wedi pump! Ond roeddwn i'n cael dau 'amser paned' ac awr i ginio. Dyma'r newyddion da cyntaf - os o'n i'n cadw'r dderbynneb, baswn i'n

cael bwyta fy nghinio yn unrhyw le, a chael fy arian yn ôl! Dw i'n meddwl mai dyna pam derbyniais i'r swydd.

Roedden nhw'n fodlon talu am westy i mi yn y tair dinas. Yn anffodus ro'n i'n byw braidd yn rhy agos at Gaer a mynnodd mam mod i'n dŵad adre bob nos. Ond mi wnes i'r gorau o wythnos yn Lerpwl ac wythnos ym Manceinion!

Yn anffodus roedd rhaid i mi wisgo gwisg morwyn briodas binc golau iawn. Dw i'n meddwl mod i i fod i edrych fel Sinderela yn y ddawns. Ond ro'n i newydd ddŵad adre o wyliau mewn gwlad boeth ac roedd gen i ormod o liw haul. Roedd rhaid i mi gael fy ngholuro bob bore gan ferched stondin Estée Lauder ac roedden nhw'n cwyno'n ofnadwy bod hi'n amhosibl gweld y colur ar fy nghroen. Wrth gwrs, roedd rhaid i mi wisgo'r persawr newydd drwy'r dydd, bob dydd. Erbyn diwedd y tair wythnos mi ges i ddwy neu dair potel yn anrheg ganddyn nhw - a rhoiais i bob un i mam a nain - roedd yr oglau'n troi arna i!

Mae'n rhaid mod i wedi cael blas ar y gwisgo ffansi 'ma, gan mai gweithio fel actores wnes i ar ôl gadael y coleg. Wrth gwrs, dach chi'n gwisgo dillad gwahanol ar gyfer pob rhan, ond roedd dwy swydd yn arbennig yn rhoi mwy o gyfle nag arfer i wisgo pethau anghyffredin.

Y swydd gyntaf oedd actio mewn cyfres o 'Sgetsus' ar S4C. Dw i'n cofio bod yn blismones, yn nyrs, yn chwaraewr rygbi, yn bob math o bobl o bob math o wledydd. Roedd dynwared yn rhan o'r rhaglen, ac roedd hi'n hwyl fawr ceisio edrych fel enwogion efo cymorth gwisgoedd a cholur - diolch byth am ambell 'wig'. Dyma rai o'r bobl y gwnes i geisio eu dynwared - o'r dela i'r mwya hyll! Marilyn Monroe, Joan Collins, Edwina Currie, aelodau o deulu brenhinol Lloegr (merched a dynion), Aled Jones yn hogyn bach a Huw Llywelyn Davies y sylwebydd rygbi - efo mwstas! Peidiwch gofyn sut o'n i'n edrych yn y sgets am Jeffrey Archer.

Tua diwedd fy nghyfnod fel actores, mi ges i swydd efo CADW sy'n edrych ar ôl adeiladau hanesyddol Cymru. Roedd plant ysgolion lleol yn dŵad i lefydd enwog yng Nghymru ac roedden ni'n actio'r hanes efo nhw. Eto o'r dela i'r mwya hyll, mi ges i'r cyfle i actio'r dywysoges Gwenllïan yng nghastell Cydweli, morwyn fach o oes Fictoria yng Nghastell Coch, telynor teithiol (wrth gwrs) yng nghestyll Dolwyddelan a Dinbych, mynach yn abatai Glyn y Groes, Llangollen a Dinas Basing, Maes-glas - a rhywun blêr iawn oedd yn y gwaith haearn ym Mlaenafon!

Erbyn hyn dw i'n cael gwisgo fy nillad fy hun ac o'r diwedd dw i'n gwybod pwy ydw i. Diolch byth mod i'n gwneud y swydd fwya normal yn y byd erbyn hyn - tiwtor Cymraeg!

Eirian Conlon

i.   Be' oedd manteision swydd gynta'r awdures?
ii. Be' oedd anfanteision y swydd?
iii. Pam nad oedd hi'n ddiolchgar am yr anrheg gaeth hi ar ddiwedd y swydd?
iv. Pam oedd yr awdures yn gwisgo fel pobl enwog?
v.   Pam oedd CADW yn rhoi gwaith i actorion?
vi. Oedd yr awdures yn cael cyfle i edrych yn ddel wrth wneud y gwaith drama efo'r plant?
vii. Be' sy'n wahanol am ei swydd erbyn hyn?

Sgwrsio

i. Pan oeddech chi'n blant, be' oeddech chi'n feddwl basech chi'n wneud fel gwaith ar ôl tyfu?

ii. Dach chi'n difaru gwneud rhai penderfyniadau? Pam?

hogyn a hogan
bachgen a merch
Tafodiaith!

Geirfa

abaty (abatai)	- abbey(s)		lle bynnag	- wherever
anghyffredin	- unusual		lleoli	- to locate
amrywiol	- varied		lliw haul	- suntan
arbenigwr (arbenigwyr) cyfrifiadurol			mi ges i gynnig (cael cynnig)	
	- computer expert(s)			- I was offered (to be offered)
awyddus	- keen, eager		morgais (morgeisi)	- mortgage(s)
brwdfrydig	- enthusiastic		morwyn briodas (morynion priodas) (b)	
cogydd(ion)	- cook(s), chef(s)			- bridesmaid(s)
colur	- makeup		mynach(od)	- monk(s)
coluro	- to make up		mynnu	- to insist
cymhwyster (cymwysterau)			oglau (aroglau)	- smell ('gwynt' weithiau yn y De)
	- qualification(s)		persawr	- perfume
cynnal eu hunain	- to support themselves		stondin(au) (b)	- stall(s)
dechreuwr (-wyr)	- beginner(s)		sylwebydd(ion)	- commentator(s)
delfrydol	- ideal		taclus	- tidy
derbynneb (derbynebau) (b)			telynor(ion) teithiol	- itinerant harpist(s)
	- receipt(s)		troi arna i	- to make me feel sick
diweddar (diweddara)			ymgeisydd (ymgeiswyr)	
	- recent (most recent)			- candidate(s)
dynwared	- to imitate, to impersonate		yn eisiau	- wanted
enwogion	- famous people, stars		ysbyty (ysbytai) cymunedol	
gwarchod cŵn	- to mind dogs			- community hospital(s)
gwarchodwyr cŵn	- dog minders			
gwleidydd(ion)	- politician(s)			
hanesyddol	- historical			
hyblyg	- flexible			
i fod i	- supposed to			
i'w drafod	- to be discussed			

Cwrs Canolradd: Uned 28

Nod: Trafod gwyliau

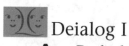 ## Deialog I

A: Dach chi'n mwynhau mynd ar wyliau?
B: Ydw wrth gwrs.
A: Dach chi'n mynd dramor fel arfer?
B: Ydw. Dw i'n licio mynd i'r cyfandir.
A: I le dach chi'n mynd?
B: I Sbaen a Phortiwgal fel arfer.
A: Be' dach chi'n wneud yno?
B: Ymlacio, wrth gwrs.

Deialog II

A: Dach chi'n mwynhau teithio?
B: Ydw wir. Dw i wrth fy modd yn pacio bag cefn, ac i ffwrdd â fi ar antur!
A: Dach chi'n trefnu llawer cyn mynd?
B: Nac ydw wir - mi fasai hynny'n ddiflas iawn.
A: Lle dach chi'n aros fel arfer?
B: Fasech chi byth yn credu rhai storïau sy gen i - dw i wedi aros mewn llefydd ofnadwy, a dach chi ddim isio clywed am rai o'r pethau ofnadwy dw i wedi gorfod eu bwyta!
A: Druan ohonoch chi!
B: Ddim o gwbl - mae hynny'n rhan o'r hwyl.

Deialog III

A: Dach chi'n hoffi mynd ar wyliau?
B: Ydw - dw i'n meddwl y byd o wyliau yng Nghymru.
A: I le dach chi'n hoffi mynd i aros?
B: Dw i'n mwynhau aros mewn bwthyn yn y mynyddoedd.
A: Dach chi wedi bod dramor erioed?
B: Nac ydw - dydy'r ci ddim yn hoffi hedfan!

Ymarfer

> Pa un ydy'r lle oera dach chi wedi bod ynddo ar wyliau?
> Pa un ydy'r lle poetha dach chi wedi bod ynddo?
> Pa un ydy'r lle rhata dach chi wedi bod ynddo?
> Pa un ydy'r lle druta dach chi wedi bod ynddo?
> Pa un ydy'r lle pella o Gymru dach chi wedi bod ynddo?
>
> Dw i'n meddwl mai'r lle oera oedd **Alaska**.
> Dw i'n meddwl mai'r lle poetha oedd **Dubai**.
> Dw i'n meddwl mai'r lle rhata oedd **Tenerife**.
> Dw i'n meddwl mai'r lle druta oedd **Monte Carlo**.
> Dw i'n meddwl mai'r lle pella o Gymru oedd **Thailand**.

Efo'ch partner, atebwch y cwestiynau yma.

Ymarfer

> Dw i ddim yn hoffi teithio
> Ddim i Ffrainc es i ar fy ngwyliau diwetha
> A i byth i Tenerife eto
> Welais i erioed mo'r Taj Mahal
> Faswn i ddim yn aros mewn hostel
> Es i ddim ar wyliau o gwbl y llynedd
> Do'n i ddim yn teithio'n dda iawn, pan o'n i'n blentyn
> Dw i ddim wedi bod yn America erioed
> Fydda i ddim ar y bws i Blackpool yr wythnos nesa

Efo'ch partner, newidiwch y brawddegau yma'n rhai cadarnhaol.
Yna, newidiwch y brawddegau i siarad am Gareth, e.e. Dydy Gareth ddim yn hoffi teithio.

Tasg - trosi brawddegau

Trowch y brawddegau hyn yn rhai negyddol:

1. Mae o'n mynd i'r maes awyr am ddau o'r gloch.

2. O Heathrow mae o'n hedfan.

3. Mi fuon nhw yn yr Almaen unwaith o'r blaen.

4. Mi wnaethon nhw weld yr amgueddfeydd yn Berlin.

5. Mi ddylen nhw fod wedi mynd ar y trên.

6. Roedd pob dim yn ddrud iawn.

7. Dyna'r gwyliau gorau gaethon nhw erioed.

8. Mi brynon nhw lawer o anrhegion.

9. Ân nhw i'r Almaen eto y flwyddyn nesa.

10. Mae llawer o'u ffrindiau'n mynd yno hefyd.

 Deialog

Yn y Maes Awyr

A: Faint o'r gloch ydy hi?

B: Chwarter wedi tri.

A: Ers faint dan ni yma?

B: Ers pump awr o leiaf.

A: Mi fasai paned yn dda.

B: Mi fasen nhw wedi medru agor y caffi.

A: Pwy fasai isio gweithio am chwarter wedi tri y bore?

B: Ia am wn i. Lle mae'r awyren yna tybed?

A: Mae hi'n dal yng Nghaerdydd. Dw i'n siŵr y bydd hi yma cyn hir.

B: Sut oedd dy wyliau di beth bynnag?

A: Bendigedig! Be' amdanat ti?

B: Iawn, ar y cyfan.

A: Ar y cyfan?

B: Ia, ar wahân i'r llifogydd a'r stormydd.

A: Wnaethoch chi golli'r trydan?

B: Do, ond dim ond am dri diwrnod.

A: Gaethoch chi fwyd da?

B: Mae'n dibynnu pa fath o fwyd wyt ti'n licio. Digon o salads, diolch byth.

A: Mi gaethon ni fwyd diddorol iawn. Dw i ddim yn siŵr be' oedd yn y cawl, ond roedd o'n flasus.

B: Oeddet ti'n aros ar lan y môr?

A: O'n. Welais i erioed dywod du o'r blaen - ond roedd o'n teimlo'r un fath yn union.

B: Mi fasai'n well gen i aros yng Nghymru y tro nesaf. Ro'n i'n meddwl ei fod o'n edrych yn fudr iawn.

Darn Darllen

Ar wyliau

Erbyn hyn dach chi'n gwybod llawer am fy niddordebau i. Dw i'n athrawes Gymraeg ac felly'n mwynhau siarad a dysgu ieithoedd. Dw i'n mwynhau cyfarfod pobl o bob math o gefndiroedd. Dw i wrth fy modd efo bwyd, yn enwedig bwydydd gwahanol a sbeislyd! Dw i'n licio gwin yn fawr. Dw i'n mwynhau cerddoriaeth, yn enwedig cerddoriaeth werin o bob math. Dw i'n mwynhau edrych ar gelf, dawnsio a drama. Dw i ddim yn rhy hoff o fod yn wlyb nac yn oer - unig anfantais Cymru i mi yw'r tywydd. Felly mae'n amlwg mai'r un peth sy'n fy mhlesio yn fwy na dim yw... gwyliau!

Ers i mi gofio dw i wedi bod yn edrych ymlaen at y gwyliau nesaf a thrwy lwc roedd fy rhieni hefyd wrth eu bodd yn teithio. Yn anffodus, pan o'n i'n ddwy oed, mi es i'r Iseldiroedd efo nhw a dau ffrind oedd heb blant. Ro'n i'n unig blentyn ar y pryd. Do'n i ddim yn deithiwr perffaith! Ar ôl y profiad ofnadwy yma, ches i ddim mynd dramor am flynyddoedd. Doedd dim ots! Roedd mynd o amgylch Cymru a'r Alban yn ardderchog, yn enwedig adeg yr Eisteddfod Genedlaethol. Roedd carafán yn well na phabell, ond roedd y ddwy yn hwyl.

Tua pedair ar ddeg o'n i, pan fentrodd fy rhieni dramor eto. O hynny ymlaen, roedden ni'n mynd yn aml - efo'r garafán, gwyliau pecyn, ymweld â ffrindiau. Unwaith i mi ddechrau yn y coleg, roedd rhagor o wyliau: efo ffrindiau, efo'r cariad, ac efo'r teulu wrth gwrs! Ro'n i'n fyfyrwraig dlawd ac roedd mam a dad yn cynnig talu!

Yn ffodus (neu'n naturiol!), pan briodais i roedd fy ngŵr mor awyddus â fi i deithio. Yn anffodus, doedd hi ddim yn bosibl i ni gael mis mêl hir, ond o fewn tair wythnos llwyddon ni i ymweld ag India, Siapan, Hong Kong a Tsieina cyn mynd yn ôl i India. Gwyliau blinedig ond bythgofiadwy.

Wna i ddim eich diflasu chi efo fy hanesion gwyliau ond dyma fy rhestr bersonol i o uchafbwyntiau fy nheithiau hyd yn hyn:

Y traethau gorau	Gogledd Iwerddon
Y bobl neisia	Groeg
Y bwyd gorau i lysieuwyr	Twrci / De Sbaen
Y bwyd gwaetha i lysieuwyr	Ffrainc / Portiwgal
Y bwyd mwya od	Siapan
Y lle prydfertha	Gogledd yr Eidal
Y ddinas orau i blant	Barcelona / Amsterdam
Y gwin gorau	Galicia / Portiwgal
Yr amgueddfa orau	Gare d'Orsay, Paris
Y lle gwaetha	Salou, Catalonia
Y lle mwyaf gwahanol	Tsieina
Y bobl 'customs' casa	Unol Daleithiau'r America

Eirian Conlon

Cwestiynau

Ysgrifennwch o leia wyth cwestiwn yn seiliedig ar y darn darllen ar ddarn o bapur. Ar ôl gorffen, gwnewch eich rhestr chi o'ch uchafbwyntiau – y teithiau gorau / gwaetha dach chi wedi eu cael erioed.

Sgwrsio

i. Dach chi'n cofio gwyliau pan oeddech chi'n blant?
ii. I le oeddech chi'n mynd?
iii. Be' oeddech chi'n wneud fel arfer?
iv. Dach chi wedi bod yn ôl, fel oedolyn, i rai o'r llefydd yma?
v. Oedd y llefydd wedi newid?

 # Geirfa

antur (b)	-	adventure
ar y cyfan	-	on the whole
ar y pryd	-	at the time
bythgofiadwy	-	unforgettable
cyfandir(oedd)	-	continent(s)
diflasu	-	to bore
gwyliau pecyn	-	package holiday
llysieuwr (-wyr)	-	vegetarian(s)
meddwl y byd o	-	to think the world of
mentro	-	to venture
myfyrwraig (b)	-	female student
oedolyn (oedolion)	-	adult(s)
plesio	-	to please
prydferth	-	beautiful, pretty
sbeislyd	-	spicy
seiliedig	-	based
Tsieina	-	China
uchafbwynt(iau)	-	climax(es)
yr Iseldiroedd	-	Netherlands, Holland
yr un fath yn union	-	the same exactly

pethau da/
fferins

losin

Tafodiaith!

Cwrs Canolradd: Uned 29

Nod: Trafod y cwrs

Ymarfer

A: Ers faint dach chi'n gwneud y cwrs yma?
B: Ers blwyddyn.

A: Ers faint dach chi efo'r dosbarth yma?
B: Ers dwy flynedd.

A: Ers faint dach chi'n dysgu Cymraeg?
B: Ers tair blynedd.

A: Ers faint dach chi'n byw yn eich cartref?
B: Ers pedair blynedd.

A: Ers faint dach chi'n gweithio yn eich swydd?
B: Ers pum mlynedd.

A: Ers faint dach chi'n byw yn y dre yma?
B: Ers chwe blynedd.

A: Ers faint dach chi'n byw yn yr ardal yma?
B: Ers saith mlynedd.

Un ar ddeg o flynyddoedd
Deuddeg o flynyddoedd
Tri deg saith o flynyddoedd

Tasg - gofyn i'ch partner
Ers faint wyt ti'n gyrru car?
Ers faint wyt ti'n briod?
Ers faint wyt ti'n fam / yn dad? Ers faint wyt ti'n daid / nain?
Ers pryd wyt ti'n mwynhau garddio?

Dyfalwch

i.   Pwy yn y dosbarth sy wedi byw yng Nghymru am yr amser hira?
ii. Pwy sy newydd symud i mewn?
iii. Pwy sy wedi bod yn dysgu Cymraeg am yr amser hira?

g Gramadeg

i.   Mae treiglad meddal ar ôl **dwy**, e.e. dwy flynedd
ii. Does dim treiglad ar ôl **tair**, **pedair**, **chwe**, e.e. chwe blynedd
iii. Mae treiglad trwynol ar ôl **pum**, **saith**, **wyth**, **naw** a **deg**, pum mlynedd
iv. Mae treiglad trwynol mewn rhifau cymhleth ar ôl **un**, e.e. un mlynedd ar ddeg

Tasg - be' sy fwya anodd wrth ddysgu Cymraeg?

Efo'ch partner, trafodwch y rhestr yma. Penderfynwch be' ydy'r pethau mwya anodd am ddysgu Cymraeg a'u rhoi nhw mewn trefn o 1 (y pethau mwya anodd) i 8 (y pethau lleia anodd).

Rhif 1-8	Problem
	dallt y treigladau
	cofio pethau
	siarad efo pobl
	dallt y newyddion
	cael yr amser i adolygu
	darllen llyfrau Cymraeg
	tafodieithoedd gwahanol
	sefyll arholiad

Yn eich barn chi:

i.   Ydy hi'n fwy anodd i hen bobl ddysgu iaith arall?
ii. Ydy hi'n fwy anodd i bobl sy ddim yn dŵad o Gymru?
iii. Ydy sefyll arholiadau'n beth da?

Ymarfer

Taswn i'n dechrau dysgu Cymraeg, mi faswn i'n ymarfer bob dydd
Taswn i'n dechrau dysgu Cymraeg, mi faswn i'n ymuno â chwrs dwys
Taswn i'n dechrau dysgu Cymraeg, mi faswn i'n symud i ardal Gymraeg
Taswn i'n dechrau dysgu Cymraeg, mi faswn i'n priodi Cymro / Cymraes

Dylwn i fod wedi gweithio mwy
Dylwn i fod wedi adolygu mwy
Dylwn i fod wedi mynd i fwy o nosweithiau Cymraeg
Dylwn i fod wedi darllen mwy

Be' fasech chi'n wneud yn wahanol, tasech chi'n dechrau eto?

👥 Deialog

Aelod newydd i'r dosbarth:

Tiwtor: Dan ni'n croesawu Les i'r dosbarth heddiw.

Les: Helo! Sut dach chi i gyd?

Tiwtor: Felly Les, ers faint dach chi'n dysgu Cymraeg?

Les: Ers tair blynedd.

Tiwtor: Da iawn. Lle oeddech chi'n dysgu?

Les: Yn Llundain.

Tiwtor: Do'n i ddim yn gwybod bod yna wersi Cymraeg yn Llundain.

Les: Oes, mae 'na lawer o gyrsiau, ond mae'n anodd cael cyfle i ymarfer.

Tiwtor: Pryd wnaethoch chi symud i Gymru?

Les: Tua phedwar mis yn ôl.

Tiwtor: Be' dach chi'n feddwl o'r ardal yma?

Les: Bendigedig! Mae hi mor wahanol i Lundain... Ond ro'n i'n arfer byw yng Nghymru.

Tiwtor: Pam wnaethoch chi symud 'ta?

Les: Wel, tua phedair blynedd yn ôl mi ges i swydd yn Llundain.

Tiwtor: Fel be'?

Les: Fel Aelod Seneddol.

Tiwtor: Dw i'n gweld. Dach chi'n dŵad o Gymru'n wreiddiol?

Les: Ydw wrth gwrs. Dw i'n dŵad o'r Gogledd. Roedd nain yn siarad Cymraeg
ond neb arall. Pan o'n i'n ifanc doedd dim llawer o wersi Cymraeg yn yr ysgol.
A dweud y gwir, do'n i ddim yn awyddus i ddysgu beth bynnag.

Tiwtor: Pam wnaethoch chi benderfynu dysgu Cymraeg yn Llundain, o bob man?

Les: Wel, roedd hiraeth arna i am Gymru a dweud y gwir. Do'n i ddim yn nabod
llawer o bobl ac roedd o'n syniad da i wella fy ngyrfa i hefyd.

Tiwtor: Felly be' sy'n dŵad â chi'n ôl i Gymru 'ta?

Les: Dw i newydd gael swydd arall.

Tiwtor: Fel be'?

Les: Fel aelod o'r Cynulliad.

Tiwtor: Diddorol iawn. A dach chi'n awyddus i wella eich Cymraeg?

Les: Mi fydd rhaid i mi! Dw i isio priodi fy nhiwtor Cymraeg cynta i!

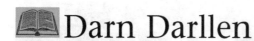Darn Darllen

Gofynnwyd i rai o'r myfyrwyr sy wedi dysgu Cymraeg sôn am eu profiadau
yn dysgu'r iaith. Dyma'r atebion a gafwyd:

Tiwtor: Be' oedd y sbardun i chi ddechrau dysgu Cymraeg mewn dosbarth?

Pauline: Dŵad i fyw mewn gwlad wahanol efo iaith wahanol ac isio bod yn rhan
           o'r gymdeithas.

Vicky: Symud yn ôl i Gymru ar ôl byw yn Lloegr am chwe blynedd.

Jill :   Dw i'n dŵad o Fanceinion, ond mi es i i'r coleg yn Aberystwyth. Ro'n i'n gwneud
           gradd Ffrangeg ac Almaeneg, felly ro'n i'n meddwl ei bod yn gwrtais i ddysgu
           iaith y wlad ei hun i ddechrau. Hefyd mi wnes i syrthio mewn cariad efo rhywun
           oedd yn caru'r iaith - felly mi wnes i ddysgu hefyd i wneud argraff dda arno fo.

Tiwtor :   Be' ydy manteision dysgu Cymraeg i chi?

Lawrence: Dw i'n siarad Cymraeg adre efo 'mhlentyn - mae hi'n mynd i ysgol Gymraeg - a
           dw i'n defnyddio'r iaith yn fy ngwaith fel llyfrgellydd.

Cerys :   Er mwyn gallu troi o un iaith i'r llall efo rhieni eraill y tu allan i'r ysgol -
           a hefyd i deimlo'n fwy Cymreig.

Vicky :   Mae dysgu Cymraeg wedi agor bywyd cymdeithasol gwahanol a bywiog i mi.

Tiwtor :   Be' dach chi wedi ei fwynhau fwya am ddysgu Cymraeg?

Wil :   Cael cyfle i drafod pynciau diddorol ac i gyfarfod pobl ddiddorol, cymdeithasu
           efo criw o ffrindiau, cefnogi ein gilydd efo'r dysgu.

Helen :   Dw i wedi mwynhau gweithio efo dosbarth nos dros y blynyddoedd - roedd hi'n
           anodd i ddechrau ond mae'n llawer o hwyl!

Cerys :   Sgwrsio a chyfarfod pobl newydd, a hyder i siarad efo Cymry Cymraeg
           yn Gymraeg.

Tiwtor :   Be' ydy eich cyngor chi i rywun sy isio dysgu Cymraeg yn rhugl?

Pauline : Ewch i ddosbarth, ymunwch efo pethau cymdeithasol Cymraeg, ymlaciwch
           a mwynhewch ddefnyddio iaith wahanol.

Jill :   Cymerwch unrhyw gyfle i siarad!

Helen :   Dach chi'n dysgu'n fwy cyflym os dach chi'n defnyddio'r iaith. Daliwch ati!
           Rŵan dw i'n siarad Cymraeg efo'r plant, efo ffrindiau a phan dw i'n gweithio.

Wil :   Peidiwch bod yn ofnus - peidiwch meddwl fod pawb yn well na chi - dim ond
           trwy ymarfer mae'r iaith yn dŵad. Os dach chi'n gwneud camgymeriadau,
           peidiwch â phoeni. Nid ffŵl dach chi ond arwr!

Cwestiynau

Trafodwch y pwyntiau y mae'r dysgwyr yma'n eu codi. Dach chi'n cytuno efo nhw?

 Sgwrsio

i.   Pryd oedd y tro cynta i chi ddŵad i Gymru?

ii.   Pryd oedd y tro cynta i chi glywed yr iaith Gymraeg?

iii. Dach chi'n nabod Cymru yn dda?

iv. Be' dach chi'n hoffi fwya / leia am Gymru?

v.   Be' mae eich teulu chi yn feddwl o'r ffaith eich bod chi'n dysgu
Cymraeg / eich bod chi'n byw yng Nghymru?

Geirfa

argraff (b)	-	*impression*
arwr (arwyr)	-	*hero(es)*
bywiog	-	*lively*
bywyd cymdeithasol	-	*social life*
camgymeriad(au)	-	*mistake(s)*
cefnogi ein gilydd	-	*to support each other*
cwrs (cyrsiau) dwys	-	*intensive course(s)*
cydymdeimlo	-	*to sympathise*
cymdeithasu	-	*to socialise*
ffaith (ffeithiau) (b)	-	*fact(s)*
hyder	-	*confidence*
llyfrgellydd (llyfrgellwyr)	-	*librarian(s)*
Manceinion	-	*Manchester*
o bob man	-	*of all places*
parhau	-	*continue*
pwnc (pynciau)	-	*subject(s)*
roedd hiraeth arna i	-	*I was homesick*
sbardun(au)	-	*incentive(s), spur(s)*

nionod

winwns

Tafodiaith!

Cwrs Canolradd: Uned 30

Nod: Adolygu ac ymestyn

 Cwestiynau

Lle dach chi'n byw?

Sut ardal ydy hi?

Pa fath o dŷ sy gynnoch chi?

Oes gynnoch chi deulu?

Dach chi'n gweithio?

      Be' dach chi'n fwynhau fwya am eich swydd?

Be' ydy'ch diddordebau chi?

Aethoch chi ar wyliau llynedd?

      Pam dewis y lle hwnnw?

Fyddwch chi'n mynd ar eich gwyliau y flwyddyn nesa?

I le basech chi'n hoffi mynd?

Pa fath o waith basech chi'n hoffi ei wneud?

Lle liciech chi fyw?

Ers faint dach chi'n dysgu Cymraeg?

Be' ydy eich hanes chi'n dysgu?

Tasg - llenwi bylchau

Efo'ch partner, llenwch y bylchau yn y darn yma. Os oes geiriau mewn cromfachau, defnyddiwch nhw fel sbardun.

Pan ofynnodd Mr Hughes, rheolwr y tîm rygbi, i mi

fynd ar y _____ (taith) i Iwerddon, ro'n i wrth fy

_____. Do'n i erioed wedi bod yno o'r _____

ond ro'n i wedi clywed llawer am y lle. Roedd y tîm i fod i

chwarae tair gêm, mewn nifer o _____ (pentref) o

gwmpas Wexford - o leia, dyna'r cynllun. Mis Chwefror _____ hi a'r tywydd wedi

bod yn eitha stormus cyn y penwythnos hwnnw.

_____ (cyrraedd) y bws Abergwaun am un, yn barod i hwylio am dri o'r gloch.

Fodd bynnag, doedd dim car _____ bws yn cael mynd ar y llong, achos _____

hi'n rhy wyntog i fentro allan i'r bae. Roedd rhai o'r tîm yn arfer hwylio i Iwerddon bob

dwy _____ (blwyddyn) i weld y gêm rygbi fawr, ac roedden nhw'n dweud storïau

_____ (wrth) ni am groesi mewn tywydd stormus. Roedd un _____ (o) nhw

wedi bod ar y môr am ugain awr ym 1996 - dyna'r croesiad _____ (drwg) erioed,

meddai fo. Doedd dim byd i'w wneud, felly _____ (cerdded) ni draw i'r dafarn leol.

Am _____ (9.45), mi ddaeth neges arall i ddweud na fyddai'r llong yn hwylio'r

noson honno, nac ar y dydd Sadwrn chwaith. Doedd dim dewis ond mynd adre ar y bws:

welson ni _____ fferi na'r môr o gwbl! Wrth wrando _____ y radio y bore

wedyn, clywon ni fod llawer o ddamweiniau wedi digwydd yn ystod y tywydd mawr dros

nos, felly ro'n i'n falch mod i wedi aros _____ _____ (yn + Cymru).

      Gaethon ni hwyl yn y dafarn? _____ (✔), wrth gwrs, ond _____ i'n

mwynhau gweld Iwerddon rywbryd hefyd!

Tasg - gwrando ar y bwletin

Gwrandewch ar y bwletin newyddion. Mae 8 eitem. Does dim cwestiynau, ond rhaid i chi
esbonio pam mae'r bobl yma yn y newyddion. Ar ôl gorffen, mi fydd eich tiwtor yn rhoi'r
sgript i chi. Rhaid i chi benderfynu pa gwestiynau fasai'n cael eu gofyn ar bob eitem.

      i.   Matthew Williamson
      ii.   John Davies
      iii.   Elin Thomas
      iv.   Philip Bevan
      v.   Ceridwen Pierce
      vi.   Ann Robinson
      vii. Mari Piper
      viii. Colin Rush

Tasech chi'n cynllunio bwletin newyddion i Radio Cymru, ym mha drefn
fasech chi'n rhoi'r storïau yma?

Darn Darllen

allan o *Golwg* Awst 2006

Cafodd Hywel Glyn Hughes ei fagu yn Llanelwy a'r Felinheli, ond mae bellach wedi ymgartrefu yn Perth yng ngorllewin Awstralia ac yn dweud y basai'n 'anodd iawn' iddo alw draw i'r Eisteddfod Genedlaethol eleni.

Ei gariad at bêl-droed aeth â fo allan o Gymru yn wreiddiol. Pan oedd Hywel yn athro yn Llandudno, cafodd gynnig gwaith yn hyfforddi pêl-droed yn yr Unol Daleithiau. Pan ddaeth y gwaith hwnnw i ben ymhen blwyddyn, penderfynodd godi pac a theithio draw i Awstralia i ymweld â ffrind. 'Gwyliau oedd o i fod, a chyfle i weld a faswn i a thri arall yn gallu dechrau ein busnes hyfforddi pêl-droed ein hunain,' meddai Hywel. 'Ond mi ddes i allan yma cyn y lleill, ac erbyn iddyn nhw gyrraedd, ro'n i wedi ffeindio gwaith ac wedi ymsefydlu. Dw i'n dal i weithio i'r un cwmni, cwmni gwaith ymchwil a chysylltiadau busnes, a bellach dw i'n un o'r rheolwyr.'

Mae ei wraig Maria'n enedigol o Awstralia ond mae ei rhieni hi'n dod o Ynys Sisili yn ne'r Eidal. Dyna pam mae gan eu merch fach bymtheg mis oed enw hir, sef Siân Mai Bongiovanni-Hughes. 'Dim ond Cymraeg dw i'n siarad efo Siân, dw i ddim yn gallu siarad Saesneg efo hi o gwbl, hyd yn oed mewn cwmni. Mae Maria'n siarad Saesneg ac Eidaleg efo hi, ac mae rhieni Maria, sy'n byw i lawr y lôn ac sy'n helpu i warchod, yn siarad Eidaleg a thafodiaith Sisili efo hi. Mae hi'n deall yr ieithoedd yma i gyd - gallwch chi ddweud yr un peth wrthi mewn pedair iaith wahanol a bydd hi'n deall.'

Ond ers dod yn dad, a babi arall ar y ffordd, mae hiraeth am Gymru'n tyfu hefyd. 'Mi fasai'n well gen i fagu fy mhlant yng ngogledd Cymru ac mi fasai eu Cymraeg nhw'n fwy rhugl. Dan ni hefyd yn byw ar gyrion dinas, ac mi fasai'n well gen i eu magu yn y wlad. Ond dw i ddim isio gweithio am weddill fy oes, ac mae'n bosib gwneud arian ar hyn o bryd. Dw i wedi gweithio bron pob diwrnod ers pan dw i yma!'

Cwestiynau

1. Pam basai hi'n anodd i Hywel ddŵad i'r Eisteddfod eleni?
2. Be' oedd swydd gynta Hywel yng Nghymru?
3. Pam aeth o i'r Unol Daleithiau?
4. Pam wnaeth o adael yr Unol Daleithiau?
5. Be' oedd ei fwriad gwreiddiol, wrth fynd i Awstralia?
6. Be' ydy ei waith o rŵan?
7. Pa ieithoedd mae ei ferch fach yn eu clywed?
8. Sut mae ei rieni yng nghyfraith yn helpu?
9. Rhowch ddau reswm pam mae Hywel isio dŵad adre i Gymru.
10. Lle hoffai Hywel fyw?

Sgwrsio

1. Dach chi'n bwriadu sefyll arholiad Cymraeg?
2. Sut dach chi'n mynd i ddefnyddio'r Gymraeg dros y gwyliau?
3. Fyddwch chi'n ymweld â'r Eisteddfod neu'n ei gwylio ar y teledu?
4. Dach chi'n mynd i ymuno efo dosbarth Cymraeg y flwyddyn nesa?

 # Geirfa

amgylchedd	-	*atmosphere*
ar gyrion	-	*on the outskirts*
bwriad(au)	-	*intention(s)*
bwriadu	-	*to intend*
codi pac	-	*to pack one's bags*
croesiad	-	*crossing*
cyffur(iau)	-	*drug(s)*
cyhuddiad(au)	-	*accusation(s)*
cysylltiad(au)	-	*connection(s), link(s)*
diogelwch	-	*safety*
genedigol	-	gair i ddweud eich bod wedi cael eich geni yn rhywle
Gleision Caerdydd	-	*Cardiff Blues*
hinsawdd (b)	-	*climate*
hyfforddi	-	*to train*
hyfforddwr (-wyr)	-	*trainer(s)*
lawr y lôn	-	*down the road*
llefarydd	-	*spokesperson*
lleill	-	*others*
rhanbarthol	-	*regional*
sefyll arholiad	-	*to sit an examination*
ymchwil	-	*research*
ymchwiliad	-	*investigation*
ymgartrefu	-	*to settle down, to make a home*
ymsefydlu	-	*to settle, to become established*

Atodiad y Gweithle - Canolradd

 1.1 Be' wnaethoch chi

Gofynnwch i 5 person be' wnaethon nhw yn y gwaith yr wythnos yma:

Enw	ddoe	echdoe	y diwrnod cynt	y diwrnod cyn hynny

uned**1**

y diwrnod cynt   - *the day before*
y diwrnod cyn hynny - *the day before that*

 1.2 Siarad am y lluniau

Efo'ch partner, siaradwch am
y lluniau yma. Be' wnaeth y
bobl yma yr wythnos diwetha:

uned**2**

 2.1 Be' fydd rhaid ei wneud

Ysgrifennwch be' fydd rhaid i chi wneud yn y gwaith yr wythnos yma
neu'r wythnos nesa, er enghraifft:

Dydd Llun, rhaid i mi fynd i gyfarfod am dri o'r gloch.

Dydd Llun:	
Dydd Mawrth:	
Dydd Mercher:	
Dydd Iau:	
Dydd Gwener:	

Gofynnwch i'ch partner be' fydd rhaid iddo fo / iddi hi wneud yr wythnos yma.

2.2 Diwrnod gwaith arferol

Darllenwch y paragraff yma am ddiwrnod gwaith John a Mair, sy'n gweithio mewn swyddfa yn y dre.

Dyma ddiwrnod gwaith arferol yn ein swyddfa ni. Rhaid i ni ddŵad yma erbyn hanner awr wedi wyth, yna dan ni'n agor y post. Rhaid i ni gael ein coffi cynta am naw o'r gloch! Mi fyddwn ni'n ateb negeseuon e-bost wedyn, ac fel arfer rhaid i ni gael cyfarfod drwy'r bore. Mi gawn ni ginio rhwng hanner dydd ac un, a rhaid i ni ddŵad yn gynnar, neu mi fydd y bwyd gorau wedi mynd! Yn y prynhawn, rhaid i ni wneud pob math o bethau, a dan ni'n gadael am chwech, pan fydd y gofalwr yn cloi'r lle. Ar ôl i ni fynd adre, dan ni'n rhy flinedig i wneud dim byd!

Efo'ch partner, newidiwch y geiriau i siarad amdanyn **nhw**,
e.e. *Dyma ddiwrnod gwaith arferol yn swyddfa John a Mair...*
Yna, newidiwch y geiriau i sôn am ddiwrnod arferol yn eich lle gwaith chi.

M E M O
_____
_____
_____
_____
_____
_____
_____
_____
_____

uned3

3.1 Ysgrifennu memo
Ysgrifennwch femo at eich pennaeth yn ymddiheuro am rywbeth dach chi wedi ei wneud yn y gwaith yn ddiweddar.

 **3.2 Be' fasech chi'n wneud...**

Atebwch y cwestiynau yma gan drafod eich lle gwaith:

  i.   Be' fasech chi'n newid am eich lle gwaith?
 ii.   Pa swydd arall fasech chi'n hoffi wneud, tasech chi'n gorfod symud?
iii.   Be' dach chi'n hoffi fwya am eich gwaith presennol?
 iv.   Be' fasech chi'n wneud, tasech chi'n ymddeol yfory?
  v.   Fasech chi'n mynd ar streic?

uned4

4.1 Siarad am y bobl yn y swyddfa

Gorffennwch y brawddegau yma.

1.   Y person cynta i gyrraedd y gwaith fel arfer ydy _____

2.   Y person cynta i adael y gwaith yn y prynhawn ydy _____

3.   Y person hyna yn y gwaith ydy _____

4.   Y person fenga yn y gwaith ydy _____

5.   Y person sy wedi bod yma hira ydy _____

6.   Y person sy'n byw bella o'r gwaith ydy _____

7.   Y person sy'n byw agosa i'r gwaith ydy _____

8.   Y person sy'n dallt cyfrifiaduron orau ydy _____

9.   Y person sy'n siarad Cymraeg orau ydy _____

10.   Y person mwya anlwcus yw _____

Rŵan, dyfalwch be' oedd y bobl eraill yn y dosbarth
wedi eu rhoi yn atebion, e.e. **Dw i'n meddwl bod
John wedi dweud mai'r person....**

 **4.2 Llogi lle**

Dach chi'n chwilio am le i
drefnu cyfarfod yng Nghymru.
Edrychwch ar yr hysbysebion
yma a thrafod manteision ac
anfanteision pob un. Pa un
ydy'r rhata? Pa un ydy'r druta?
Pa ffactorau sy'n effeithio ar
eich dewis?

Gwesty'r Metropolitan
Llandrindod
Lle gwych i gynnal
  cyfarfodydd!
Bwyd bwffe
£25 y pen y dydd
Reit yng nghanol Cymru
Adnoddau cyfrifiadurol
  ar gael
3 ystafell fawr

Gwesty'r Harbwr Coch
Aberaeron
Lle bach tawel, hyfryd
Bwyd *a la carte*
£30 y pen y dydd
Ardal hardd iawn
Un ystafell gyfarfod.
  Rhaid trefnu ymlaen
  llaw os oes angen offer
Staff dwyieithog

Gwesty'r Bae
Bae Caerdydd
Awyrgylch y brifddinas
Bwyd bwffe
£45 y pen y dydd
Cyfleus i'r maes awyr a'r
    Cynulliad
Offer a thechnegydd ar gael
System awyru (*Air-con*)
4 ystafell gyfarfod

Hostel yr Ynys
ger Biwmaris
Dewch i gynnal cyfarfod yma
Brechdanau, coffi
£15 y pen y dydd
Cyfleus i Fangor ac i Iwerddon
Adnoddau cyfrifiadurol ar gael
Un ystafell fechan i 12 o bobl

adnoddau	-	*resources*
offer	-	*equipment*
awyrgylch	-	*atmosphere*
technegydd (technegwyr)		
	-	*technician*

4.3 Bwcio

Ysgrifennwch nodyn e-bost i fwcio un
o'r llefydd yma ar gyfer cyfarfod. Cofiwch
roi'r dyddiad a'r amser, be' sydd ei angen
arnoch chi a be' ydy pwrpas y cyfarfod.

At: _____

Dyddiad: _____

Oddi wrth: _____

uned5

5.1 Cyfrifoldebau

Rhestrwch bump o bobl yn eich lle gwaith chi, os oes modd.
Yna, siaradwch am be' ydy cyfrifoldebau'r bobl wahanol, e.e.

Jenny Jones   - Jenny ydy'r rheolwr a hi sy'n rhedeg y cwmni.
Enid Rosser   - Enid sy'n coginio bwyd i'r staff yn y ffreutur.

Meddyliwch am ragor o bobl sy wedi gadael eich lle gwaith.
Deudwch be' oedd eu cyfrifoldebau nhw, e.e.

John Thomas   - John oedd yn arfer rhedeg y siop. Mae o wedi ymddeol ers blwyddyn.
Gwenda Evans   - Gwenda oedd yn helpu efo'r gwaith clerigol.

5.2 Ymddeol

Be' sy'n dda a be' sy'n ddrwg am ymddeol? Trafodwch:

- Fyddwch chi'n colli eich cydweithwyr?
- Dach chi'n edrych ymlaen at wneud rhywbeth ar ôl ymddeol?
- Sut fydd eich sefyllfa ariannol chi ar ôl ymddeol?

Pethau da am ymddeol	Pethau drwg am ymddeol
1._____	_____
2._____	_____
3._____	_____

Yna, cymharwch eich rhestri chi â
rhestri rhywun arall yn y dosbarth.

colli	-	*to miss*

uned6

6.1 Ateb cwestiynau am y cyfarfod

Efo'ch partner, atebwch y cwestiynau yma, gan ddefnyddio **Naci** + brawddeg:

i.   Ym Mangor mae'r cyfarfod?   Naci, yng Nghaerdydd mae'r cyfarfod

ii.   Cyfarfod sy'n dechrau am ddeg ydy o?   _____

iii. Dydd Llun mae'r cyfarfod?   _____

iv.   Cyfarfod drwy'r dydd ydy o?   _____

v.   Trafod y prosiect newydd fyddwn ni?   _____

vi.   Doreen ydy'r cadeirydd?   _____

vii. Elen sy'n ysgrifennu'r cofnodion?   _____

viii. Am dri fydd o'n gorffen?   _____

prosiect	-	*project*
cadeirydd	-	*chairperson*

6.2 Absenoldeb

Pam roedd y bobl yma yn absennol? Dewiswch un rhif (o 1 i 7) i'w roi wrth bob enw.
Yna, rhaid i'ch partner ddyfalu lle roedd pawb ddoe, e.e. Yn y feddygfa oedd John?
Rhaid i chi ofyn cwestiynau i'ch partner hefyd. Y cynta i orffen sy'n ennill!

John	☐	1.	yn y feddygfa
Awen	☐	2.	yn y tŷ
Elis	☐	3.	mewn cyfarfod
Ceri	☐	4.	yn y dafarn
Dai	☐	5.	ar gwrs
Eleri	☐	6.	ar wyliau
Iago	☐	7.	yn yr ysbyty

e.e.   Yn y feddygfa oedd John?   Naci
       Yn y tŷ oedd John?   Naci
       Ar gwrs oedd John?   Ia!

uned 7

7.1 Cymryd neges

Llenwch y bylchau yn y neges yma, yna ei darllen yn uchel i'ch partner - yn gyflym!
Rhaid i'ch partner ddweud wrth y dosbarth be' oedd eich neges.

> Annwyl _____
>
> Fydda i ddim yn y gwaith yfory - rhaid i mi fynd i _____ .
> Wela i mohonoch chi y diwrnod wedyn chwaith - dw i'n mynd
> i _____ . Pob hwyl yn y cyfarfod mawr yfory, ac
> ymddiheuriadau na fydda i'n medru bod yno. Dw i'n siŵr
> y byddwch chi'n _____ .
>
>   Hwyl,
>
>   _____ .

7.2 Darllen ac ysgrifennu yn y gwaith

Pa fath o bethau dach chi'n eu darllen yn eich gwaith? Trafodwch efo'ch partner a gwneud rhestr, e.e. adroddiadau, ceisiadau, negeseuon e-bost, gwefannau, llythyrau, llyfrau.

Pa fath o bethau dach chi'n eu hysgrifennu?
At bwy? Dach chi'n medru anfon negeseuon
e-bost at eich ffrindiau neu'r teulu o'r gwaith?

cais (ceisiadau)	- *application(s)*
adroddiad(au)	- *report(s)*
gwefan(nau) (b)	- *website(s)*

uned**8**

8.1 Holiadur

Gofynnwch y cwestiynau yma i bawb yn eich gwaith:

i.   Dach chi'n defnyddio'r cyfrifiadur yn aml yn y gwaith?

☐ Drwy'r amser   ☐ Yn aml   ☐ Weithiau   ☐ Byth

ii. Dach chi'n delio efo'r cyhoedd yn eich gwaith o gwbl?

☐ Drwy'r amser   ☐ Yn aml   ☐ Weithiau   ☐ Byth

iii. Dach chi'n defnyddio'r Gymraeg o gwbl yn eich gwaith?

☐ Drwy'r amser   ☐ Yn aml   ☐ Weithiau   ☐ Byth

iv. Dach chi wedi cyfarfod pennaeth y cwmni / sefydliad erioed?

☐ Bob dydd   ☐ Sawl gwaith   ☐ Unwaith neu ddwy   ☐ Erioed

v.   Dach chi wedi bod yn hwyr i'r gwaith erioed?

☐ Bob dydd   ☐ Sawl gwaith   ☐ Unwaith neu ddwy   ☐ Erioed

Rŵan, deudwch be' oedd canlyniadau'r holiadur wrth eich partner,
e.e. Mae dau ohonyn nhw'n delio efo'r cyhoedd drwy'r amser.
Does neb ohonyn nhw wedi cyfarfod pennaeth y cwmni!

uned**9**

9.1 Ysgrifennu llythyr byr

Ysgrifennwch lythyr byr at rywun yn y gwaith
yn gofyn am rywbeth, ar ddarn o bapur sgrap.
Mi fydd eich tiwtor yn ailddosbarthu'r llythyrau.
Rŵan, atebwch y llythyr, gan wrthod y cais.
Esboniwch pam dach chi'n gwrthod!

ailddosbarthu	- *to redistribute*

9.2 Cyfieithu llythyr

Cyfieithwch y llythyr yma i'r Gymraeg. Trafodwch eich cyfieithiad efo'ch partner.

Dear Sir or Madam,

Thank you for your letter regarding the new building. We will send

you a copy of the plans for your information. You're welcome to

send comments to us. We look forward to hearing from you.

Yours sincerely,

John Jones

Oes 'na lythyrau dach chi'n eu hanfon yn aml o'r gwaith?

uned 10

10.1 Gofyn cwestiynau am y gwaith

Gofynnwch y cwestiynau yma i'ch partner, yna'u hateb.

i. Be' wnest ti yn y gwaith ddoe?
ii. Be' fydd rhaid i ti wneud yn y gwaith wythnos nesa?
iii. Be' ddylet ti wneud wythnos yma?
iv. Be' wyt ti'n feddwl o _____ (enw person yn y gwaith)?
v. Deud be' na wnest ti y bore 'ma cyn dŵad i'r gwaith neu'r dosbarth.
vi. Be' ydy dy ddyletswyddau di yn y gwaith? (e.e. Fi sy'n...)

10.2 Cerrig milltir

Be' ydy'r cerrig milltir mwya pwysig yn eich gyrfa chi? Ysgrifennwch nhw ar ddarn o bapur, yna'u trafod mewn grwpiau o dri. Er enghraifft, dechrau swydd newydd, cael dyrchafiad, trefnu rhywbeth pwysig, cael plant.

carreg filltir (cerrig milltir) (b) - *milestone(s)*

uned 11

11.1 Mae arna i gymwynas i...

Dewiswch 5 person yn y swyddfa / yn eich lle gwaith. Rhaid i chi ddweud pam mae arnoch chi gymwynas neu ffafr iddyn nhw. Os nad oes rheswm go iawn, rhaid i chi feddwl am un!

Pwy	Pam
1. _____	_____
2. _____	_____
3. _____	_____
4. _____	_____
5. _____	_____

Rŵan, gofynnwch i'ch partner pwy
mae o / hi wedi ei ddewis, a'r rheswm.

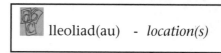 lleoliad(au)   -   *location(s)*

11.2 Trefnu cinio ymddeol

Mae rhywun poblogaidd yn eich lle gwaith yn ymddeol.
Rhaid i chi drefnu cinio neu noson i ffarwelio â fo / hi. Mewn parau, penderfynwch pa fath o noson fydd hi, y lleoliad, pwy fydd yn dŵad, pwy fydd yn siarad a be' fyddwch chi'n ei roi yn anrheg i'r person sy'n ymddeol. Ar ôl gorffen, deudwch be' ydy'r cynlluniau wrth bawb arall yn y grŵp.

Pa fath o barti ymddeol fasech chi'n hoffi ei gael?
Be' fyddan nhw'n ei ddweud amdanoch chi?

uned 12

12.1 Hyfforddiant mewn swydd

Pa fath o hyfforddiant fasai'n ddefnyddiol i chi yn y gwaith? Meddyliwch am dri pheth gwahanol, neu dri math o gwrs a pham basai'r cwrs yma'n ddefnyddiol i chi.

Cwrs	Pam basai'n ddefnyddiol?
1. _____	_____
2. _____	_____
3. _____	_____

Rŵan, cymharwch eich rhestr chi efo rhestr pawb arall yn y grŵp.

😊😊 12.2 Cwestiynau 'cael'

Gofynnwch y cwestiynau yma i'ch partner, a'u hateb.

- Gan bwy dach chi'n cael eich cyflogi?
- Gan bwy gaethoch chi eich cyfweld?
- Gan bwy dach chi'n cael eich rheoli?
- I be' gaethoch chi eich penodi yn y lle cynta?
- Dach chi'n cael eich trin yn dda yn y lle gwaith?

uned13

😊😊 📖 13.1 Newyddion am y gwaith

Darllenwch yr eitemau newyddion yma:

1. Agorwyd estyniad newydd i ffatri Eric Jones yn Llandeilo y bore 'ma gan y Tywysog Charles. Gobeithir y bydd swyddi i gant o bobl erbyn y flwyddyn nesa. Mae'r ffatri'n gwneud peiriannau sy'n pacio pethau.

2. Cafodd tri o weithwyr yn swyddfa'r cyngor yn Llanaber eu diswyddo. Roedden nhw wedi bod yn gwylio gemau cwpan y byd yn ystod oriau gwaith. Gofynnwyd i'r cyngor am sylw, ond doedd neb ar gael. Mi ddywedodd un o'r gweithwyr fod llawer o bobl yn gwneud yr un peth, ac maen nhw'n bwriadu apelio.

3. Enillwyd gwobr 'Gweithiwr y Flwyddyn' gan Mary Morris sy wedi bod yn glerc yn yr Adran Gyllid ers tri deg mlynedd. Mi ddywedodd ei phennaeth nad oedd Mary wedi colli un diwrnod o waith oherwydd salwch yn yr amser hwnnw. Cyflwynwyd blodau i ddiolch iddi am ei gwasanaeth gan y pennaeth.

4. Caewyd ffatri gaws Felin Wen heddiw. Dim ond dwy flynedd yn ôl agorwyd y ffatri ar ôl derbyn grant o filiwn o bunnoedd gan y Cynulliad. Mi ddywedodd llefarydd ar ran y cwmni fod gormod o gystadleuaeth o wledydd Dwyrain Ewrop. Mi fydd tri deg o weithwyr yn colli eu gwaith.

Yn gynta, tanlinellwch bob enghraifft o ferf *amhersonol*, e.e. berf + **-wyd** neu **-ir**. Yna, meddyliwch am ddau gwestiwn i'w gofyn am bob eitem, a'u gofyn i bawb arall yn y dosbarth.

ABC		
estyniad	-	*extension*
sylw(adau)	-	*comment(s)*
tanlinellu	-	*to underline*

13.2 Newid brawddegau

Efo'ch partner, darllenwch y brawddegau yma a'u newid, ar sail y wybodaeth yn yr eitemau newyddion yn 13.1.

i.   Cafodd adeilad newydd ei agor gan Eric Jones.

ii.   Agorwyd yr estyniad ddoe gan Charles a Camilla.

iii.   Mae ffatri Eric Jones yn pacio caws.

iv.   Diswyddwyd pedwar o bobl o gyngor Llanaber.

v.   Roedd gweithwyr y cyngor wedi colli eu swyddi am ddŵad yn hwyr i'r gwaith.

vi.   Dydy'r gweithwyr ddim yn mynd i apelio.

vii.   Cafodd gwobr 'Gweithiwr y Flwyddyn' ei hennill gan Margaret Morris.

viii. Mae hi'n gweithio yn yr Adran Gyllid ers ugain mlynedd.

ix.   Cafodd cloc ei gyflwyno iddi gan y pennaeth.

x.   Caewyd ffatri gaws Felin Wen yr wythnos diwetha.

xi.   Agorwyd ffatri Felin Wen ddwy flynedd yn ôl.

xii.   Mae'r ffatri wedi cau oherwydd nad oes llawer o bobl yn bwyta caws.

uned14

 ### 14.1 Sgwrs mewn sefyllfa

Efo'ch partner, dewiswch un o'r sefyllfaoedd yma:

Sefyllfa 1

A: Mae eich partner wedi ceisio am swydd newydd ond ddim wedi ei chael. Cydymdeimlwch efo fo / hi, a gofyn be' fydd ei gynlluniau yn y dyfodol.

B: Dach chi wedi ceisio am swydd newydd ond ddim wedi ei chael. Mi fydd eich partner yn cydymdeimlo efo chi. Deudwch pam na chawsoch chi mo'r swydd a be' ydy'ch cynlluniau yn y dyfodol.

Sefyllfa 2

A: Mae eich partner wedi cael ei ddiswyddo. Cydymdeimlwch efo fo / hi a gofyn pam.

B: Dach chi wedi cael eich diswyddo. Mi fydd eich partner yn gofyn cwestiynau i chi. Rhaid i chi feddwl am resymau pam dach chi wedi colli eich gwaith.

14.2
Ysgrifennu llythyr

Ysgrifennwch lythyr yn diolch i rywun sy'n gweithio efo chi am gymwynas a wnaeth yn ddiweddar. Defnyddiwch tua 100 o eiriau. Dyma rai syniadau:

> *Annwyl _____*
>
> *Mi hoffwn i ysgrifennu atoch chi i ddiolch am _____*
> *Roedd yn help mawr eich bod wedi _____*
> *Rŵan, mi fydda i'n medru _____*
> *Mi ddaeth eich help chi ar amser da iawn, oherwydd _____*
>
> *Os oes rhywbeth yr hoffech chi i mi wneud _____*
> *Os medra i wneud rhywbeth i'ch helpu chi _____*
>
> *Cofion cynnes,*
>
> _____

uned 15

15.1 Eich rheolwr llinell

Gofynnwch y cwestiynau yma i'ch partner a'u hateb.

   i.   Pwy ydy'ch rheolwr llinell chi?
   ii.   Pa mor aml dach chi'n gweld eich rheolwr llinell?
   iii. Dach chi'n gwneud yn dda efo'ch gilydd?
   iv. Ydy eich rheolwr llinell yn cyfarwyddo eich gwaith chi?
   v.   Ydy eich rheolwr llinell yn trin pawb yn yr un ffordd?
   vi. Faint o gyfle mae eich rheolwr llinell yn ei roi i chi wneud pethau newydd?
   vii. Fasech chi isio newid eich rheolwr llinell? Pam?
   viii. Hoffech chi fod yn rheolwr llinell ar rywun arall?

 rheolwr llinell - *line manager*
gwneud yn dda efo'ch gilydd
                  - *to get on well with*

uned 16

16.1 Disgrifio'r lle gwaith

Efo'ch partner, disgrifiwch eich lle gwaith yn ofalus. Disgrifiwch:

   i.   yr adeilad - ei liw, a'i faint
   ii.   nifer yr ystafelloedd
   iii. cynllun a chynnwys eich ystafell chi
   iv. yr offer sy yn eich ystafell
   v.   faint o staff sy'n gweithio yno

16.2 Cyngor gyrfaoedd

Mewn grwpiau neu fel dosbarth, trafodwch y cwestiynau yma:

i. Tasech chi'n rhoi cyngor i berson ifanc am ddewis gyrfa, be' fasech chi'n ddweud?

ii. Pa gyngor gaethoch chi yn yr ysgol neu'r coleg?

iii. Oeddech chi'n gwybod o'r dechrau mai dyma be' oeddech chi isio ei wneud?

 16.3 Sgwrs mewn sefyllfa

Mae partner A yn gynghorydd gyrfaoedd a'r partner arall (B) yn berson ifanc sy newydd adael yr ysgol. Rhaid i A roi cyngor i B a gofyn cwestiynau am yr yrfa orau iddo / iddi.

cynllun	- *design, plan*
cynnwys	- *content*
cynghorydd gyrfaoedd	- *careers adviser*

uned 17

17.1 Gorchmynion

Rhestrwch y gorchmynion dach chi'n eu clywed yn y gwaith yn aml - drwy ofyn yn gwrtais yn gynta, e.e. Wnei di lungopïo'r rhain? Wnei di droi'r gwres ymlaen? Wnei di anfon neges at _____ ? Wnei di drefnu ystafell? Wnei di ffonio ____ ?

1. _____
2. _____
3. _____
4. _____
5. _____
6. _____

Yna, trowch y rhain yn **orchmynion** i **ti**,
e.e. Wnei di agor y drws? > Agora'r drws!

17.2 Troi e-bost yn orchmynion

Darllenwch y neges yma, oddi wrth gydweithiwr. Trowch y cynnwys yn orchmynion i **chi**, a'u hysgrifennu dan y neges.

Helo Jerry,

Dw i'n mynd i ffwrdd yr wythnos nesa. Wnei di roi gwybod i'r swyddfa ganolog? Mae angen gwneud ambell beth - wyt ti'n medru ateb unrhyw ymholiadau? Hefyd, wnei di drefnu ystafell ar gyfer y 5ed, a bwcio'r bwyd? O ia, mi fydd angen i ti fynd at y cwmni arferol i logi car i mi. Does dim angen dweud wrth Lowri. Un peth arall, wnei di ddiolch iddi am edrych ar ôl y pysgodyn aur?

Cofia gysylltu efo fi ar y rhif symudol os oes problem fawr.

Hwyl,

Jenny

1. _____

2. _____

3. _____

4. _____

5. _____

6. _____

uned 18

 ### 18.1 Gwneud rhaglen

Mae cwmni teledu yn dŵad i'ch lle gwaith chi i wneud rhaglen 'pry-ar-y-wal' i'w dangos ar S4C. Mewn grwpiau, trafodwch:

    i.   Be' fasai'n addas iddyn nhw ffilmio?

    ii.   Pa fath o raglen fasai hi?

    iii. Be' fasai'r problemau i'r cwmni sy'n gwneud y rhaglen?

    iv. Pwy fasai'r bobl fwya diddorol i'w ffilmio?

    v.   Pa fath o ymateb fasai'r rhaglen yn ei gael?

 pry-ar-y-wal - *fly-on-the-wall*

18.2 Ysgrifennu memo

Mae cwmni teledu yn dŵad i'ch lle gwaith chi i ffilmio (gw. 18.1 uchod). Ysgrifennwch femo at bawb yn y cwmni yn dweud wrthyn nhw am y prosiect yma a be' fydd disgwyl iddyn nhw wneud. Nodwch pryd bydd y ffilmio'n digwydd a be' mae'r cwmni neu'r sefydliad yn gobeithio ei gael allan o'r rhaglen.

MEMO

At: Pawb ar y staff
Ynglŷn â: Ffilmio rhaglen S4C

Annwyl Gydweithwyr,

_____

_____

_____

_____

_____

_____

_____

_____

_____

_____

_____

uned**19**

19.1 Cwestiynau 'Pa mor aml...'
Efo'ch partner, trafodwch y cwestiynau yma:

i.   Pa mor aml fyddi di'n mynd â gwaith adre efo ti?
ii.   Pa mor aml fyddi di'n gweithio ar ddydd Sadwrn?
iii. Pa mor aml fyddi di'n gweithio'n hwyr?
iv.   Pa mor aml fyddi di'n cael problemau efo cyfrifiaduron?
v.   Pa mor aml fyddi di'n delio efo'r cyhoedd?
vi.   Pa mor aml fyddi di'n cyfarfod pobl eraill sy'n gweithio yn yr un maes?
vii. Pa mor aml fyddi di'n mynd i gyfarfodydd neu gyrsiau?
viii. Pa mor aml fyddi di'n cael cyfle i siarad Cymraeg?

> yn yr un maes - *in the same field*

19.2 Pethau na wnewch chi byth mohonyn nhw
Meddyliwch am bethau na wnewch chi byth mohonyn nhw yn eich lle gwaith, e.e.

Cha i byth ddyrchafiad!
Wna i byth symud i swydd arall!
Wna i byth fwyta yn y ffreutur yma!
Cha i byth le i barcio!
Wna i byth orffen un prosiect ar amser!

Rŵan, mi fydd rhaid i chi ddyfalu pwy ddwedodd be'.

uned**20**

20.1 Disgrifio cwrs
Dach chi wedi bod ar gwrs yn ymwneud â'r gwaith. Atebwch y cwestiynau yn y tabl ac yna gofynnwch i'ch partner am y cwrs yr aeth o/hi iddo.

Cwestiwn	Chi	Eich partner
Sut oedd y daith?		
Sut oedd y gwesty?		
Sut oedd yr adnoddau?		
Sut oedd y bwyd?		
Sut oedd y cwrs ei hun?		
Fasech chi'n mynd ar y cwrs yma eto?		

20.2 Cyfweld rhywun yn y gwaith

Mi fydd rhaid i chi gyfweld rhywun sy'n siarad Cymraeg yn rhugl cyn bo hir. Be' am ymarfer efo rhywun yn eich lle gwaith? Dyma rai cwestiynau y medrwch chi eu gofyn, ac mi fedrwch ymarfer gofyn y cwestiynau yn y dosbarth yn gynta.

i. Ers faint dach chi'n gweithio yma?
ii. Be' yn union dach chi'n wneud?
iii. Dach chi'n mwynhau'r gwaith? Pam?
iv. Fasech chi'n newid rhywbeth am eich lle gwaith? Be'?
v. Sut dach chi'n gwneud efo'ch cydweithwyr?
vi. Dyma'r swydd oeddech chi isio ei gwneud ers pan oeddech chi'n ifanc?
vii. Be' ydy'r peth mwya anodd am y swydd?
viii. Faint o Gymraeg dach chi'n ei defnyddio yn y gwaith?

Be'	Pryd
Cyfarfod cyffredinol	1 Mehefin
Pwyllgor llywio	21 Mehefin
Cyfweliadau	30 Mehefin
Gwyliau	6-14 Gorffennaf
Eisteddfod	2 Awst
Cwrs hyfforddi	3 Medi
Cynhadledd	10-11 Medi
Cyfarfod lleol	15 Medi
Apwyntiad deintydd	25 Medi
Taith flynyddol	2 Hydref
Hanner tymor	20-24 Hydref
Pwyllgor cyllid	3 Tachwedd

uned 21

21.1 Trafod dyddiadau yn y gwaith

Efo'ch partner, trafodwch pryd mae'r pethau yma'n digwydd, e.e. Pryd mae'r cyfarfod cyffredinol nesa?

> cyfarfod cyffredinol - *general meeting*
> pwyllgor llywio - *steering committee*
> pwyllgor cyllid - *finance committee*

Trafodwch y pethau sy'n mynd i godi yn eich lle gwaith chi yn y flwyddyn i ddŵad. Pryd maen nhw?

21.2 Trefnu gwesty i gydweithiwr

Mae eich partner yn mynd i gyfarfod neu gynhadledd ac yn gofyn i chi drefnu gwesty iddo. Gofynnwch i'ch partner am y wybodaeth yma:

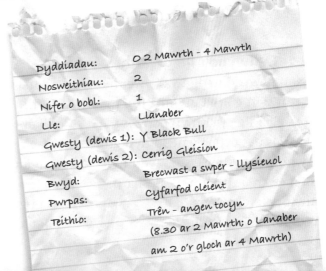

Dyddiadau: 0 2 Mawrth - 4 Mawrth
Nosweithiau: 2
Nifer o bobl: 1
Lle: Llanaber
Gwesty (dewis 1): Y Black Bull
Gwesty (dewis 2): Cerrig Gleision
Bwyd: Brecwast a swper - llysieuol
Pwrpas: Cyfarfod cleient
Teithio: Trên - angen tocyn
(8.30 ar 2 Mawrth; o Lanaber
am 2 o'r gloch ar 4 Mawrth)

uned**22**

 22.1 Tân yn y gwaith - sgwrsio

i. Tasai tân yn llosgi eich lle gwaith i'r llawr, be' fasech chi'n trio ei achub gynta?
ii. Tasai pob dim wedi cael ei losgi, be' fasai'n digwydd i chi?
iii. Dach chi'n cael ymarferion rhag tân weithiau?
iv. Oes 'na dân wedi digwydd yn eich lle gwaith?
v. Dach chi'n gwybod lle mae'r diffoddyddion tân?
vi. Oes gynnoch chi yswiriant?

ymarferion rhag tân	- *fire prevention drills*
diffoddydd(ion) tân	- *fire extinguisher(s)*
yswiriant	- *insurance*

 22.2 Llythyr cwyno

Darllenwch y llythyr yma. Sut basech chi'n ei ateb?

```
Annwyl Syr / Madam,

Dw i newydd gael eich llythyr drwy'r post yn sôn am eich
cynnyrch diweddara. Ro'n i'n siomedig iawn fod y llythyr yn
uniaith Saesneg! Oes gan y cwmni bolisi dwyieithog? Cofiwch
fod llawer o bobl yn siarad Cymraeg yn yr ardal yma. Mi fydda
i'n ysgrifennu at fy Aelod Cynulliad am hyn.

Yr eiddoch yn gywir,
Guto Pryderi ap Rhys
```

uned**23**

23.1 Cyflwyno'r lle gwaith

Mae person newydd wedi dŵad i weithio efo chi. Chi sy'n gorfod mynd â fo / hi o gwmpas eich lle gwaith yn dangos yr adeiladau. Os oes cyfle i wneud hyn go iawn, gwnewch hynny. Os na fydd hyn yn bosibl, ewch â rhywun o'r dosbarth neu'r tiwtor efo chi. Dyma rai ymadroddion defnyddiol:

Dyma'r _____
Wrth ymyl yr adeilad mae _____
Mi allwch chi barcio o flaen _____
Mae'r swyddfa'n agor am _____ ac yn cau am _____
Mae'r ffreutur drws nesa i'r siop lyfrau
Ga i gyflwyno _____
Mi fyddwch chi'n dŵad i arfer efo sŵn y traffig...

23.2 Darllen map

Ffeindiwch fap sy'n arwain i'r lle gwaith. Os nad oes map parod ar gael, mae'n
bosib argraffu map o'r lleoliad o'r we. Efo'ch partner, siaradwch am sut i gyrraedd
y lle gwaith o lefydd gwahanol. Oes 'na ffyrdd sy'n haws na rhai eraill, neu'n gynt?
Pa mor hawdd ydy dŵad o hyd i'r lle gwaith?

uned24

24.1 Cywiro'r cofnodion

Darllenwch y cofnodion yma. Mae 10 treiglad ar goll - cywirwch nhw!

Cofnodion cyfarfod 13 Tachwedd

Presennol: JJ, TT, ED, LM.

1. **Parti Ymddeol y Prif Gweithredwr**

Pwrpas y cyfarfod oedd trafod y lle gorau i cynnal parti ymddeol y pennaeth. Mi
ddwedodd JJ ei fod yn rhy prysur i chwilio am lle addas. Mi ddywedodd TT fod gwesty'r
Cliff yn gwneud bwyd da iawn. Cytunwyd bod hyn yn syniad da, ac roedd digon o lle
i wyth deg o bobl yno. Mi fydd rhaid i ED cysylltu efo nhw yn syth i wneud yn siŵr
fod nos Iau, 11 Rhagfyr yn rhydd. Mi allai fod yn anodd cael lle, gan fod llawer o
partïon Nadolig yn cael eu cynnal yr amser yma. Mi ofynnodd LM a fasen ni'n
gallu cael peiriant carioci yn y parti ac mi wnaeth pawb cytuno fod hyn yn iawn.

Mi fydd ED yn anfon gwahoddiadau at pawb drwy e-bost yfory. Diolchwyd i ED
am hyn. Trafodir y manylion yn cyfarfod nesaf y pwyllgor.

Tasech chi'n trefnu parti ymddeol i'ch pennaeth chi, sut basech chi'n mynd ati?
Lle basech chi'n mynd? Pwy fasai'n dŵad?

uned25

25.1 Deialog

Efo'ch partner, darllenwch y ddeialog yma a llenwi'r bylchau wrth fynd ymlaen.

> **A:** Bore da, _____ Llanaber. Ga i'ch helpu chi?
>
> **B:** _____ sy 'ma. Ga i siarad efo _____?
>
> **A:** _____ sy'n siarad.
>
> **B:** Bore da. Dw i'n ffonio ynglŷn â'r cyfarfod dach chi wedi ei drefnu fore
> dydd _____ nesa.

A: Ia, y cyfarfod yn _____ .

B: Fedrwch chi ddweud wrtha i am be' yn union mae'r cyfarfod?

A: Wel, mi fyddwn ni'n trafod _____ fwya. Ond wrth gwrs, mae 'na bethau pwysig eraill i'w trafod.

B: Iawn. Fedrwch chi ddweud wrtha i yn union lle mae'r cyfarfod?

A: Medra. _____ (cyfeiriadau)

B: A phryd yn union fydd y cyfarfod yn gorffen?

A: Mae'n anodd dweud. Hwn ydy'r cyfarfod ola ar y mater.

B: Dw i'n gweld. Mae o yn fater pwysig wrth gwrs.

A: Ydy wir. Mi fydd cinio wedi ei drefnu ar eich cyfer chi wrth gwrs. Felly, fyddwch chi yno fore dydd _____ nesa?

B: Bydda wir. Am _____ o'r gloch ar ei ben.

A: Hwyl fawr tan hynny.

B: Pob hwyl.

ar ei ben	- *exactly*
canolwr	- *referee*
tystlythyr	- *reference, testimonial*

25.2 Ysgrifennu llythyr

Ysgrifennwch lythyr ar un o'r testunau yma (tua 100 o eiriau)

A: Mae un o'ch cydweithwyr chi wedi gofyn i chi fod yn ganolwr ar ei ran / ei rhan. Mae o/hi wedi trio am swydd mewn cwmni / sefydliad arall. Ysgrifennwch dystlythyr at y cwmni neu'r sefydliad yn sôn amdano / amdani.

B: Dach chi wedi cael llond bol ar eich swydd bresennol. Ysgrifennwch lythyr at eich rheolwr llinell yn ymddiswyddo, ac yn dweud yn glir be' dach chi'n feddwl ohono fo / ohoni hi a'r cwmni / sefydliad.

C: Mi fydd rhaid i chi symud i swyddfeydd neu adeiladau newydd cyn bo hir. Dach chi ddim yn hapus efo'r adeiladau neu'r lleoliad newydd. Ysgrifennwch at bennaeth eich cwmni / sefydliad yn dweud eich barn ac yn nodi'r problemau.

uned 26

 26.1 Cymdeithas y staff

Mae cymdeithas staff eich lle gwaith yn trefnu helfa drysor yn yr ardal,
a dach chi'n helpu efo'r trefniadau. Mi fydd pob tîm mewn car. Trafodwch:

    i.   Lle basech chi'n mynd? (Rhaid meddwl am bump lle)

    ii.   Pa mor hir fasai'r helfa drysor?

    iii. Meddyliwch am gliwiau i arwain i'r pump lle.

    iv. Dach chi'n cymdeithasu efo pobl yn eich lle gwaith o gwbl?

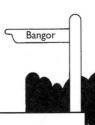

helfa drysor (b) - *treasure hunt*

26.2 Yn / mewn

Efo'ch partner, rhowch **Dw i'n gweithio yn / mewn...** o flaen yr ymadroddion yma, e.e.

    A: swyddfa'r Gogledd

    B: Dw i'n gweithio yn swyddfa'r Gogledd

i swyddfa'r De	viii. canolfan hamdden newydd	
ii. swyddfa fawr	ix. canolfan hamdden y dre	
iii. Abertawe	x. neuadd y sir	
iv. pentre mawr	xi. neuadd bentre	
v. pentre yn y Gogledd	xii. neuadd Llanaber	
vi. pentre mwya gogledd Cymru	xiii. ysgol Gymraeg y dre	
vii. canolfan hamdden	xiv. ysgol gynradd	

uned 27

 27.1 Holiadur

Gofynnwch y cwestiynau yma i o leia 5 o bobl, e.e.

Be' oedd...   Be' ydy...   Be' fasai...

Enw	Swydd gynta	Swydd bresennol	Swydd ddelfrydol

27.2 Swydd tiwtor Cymraeg

Dach chi'n mynd i roi cyfweliad i'ch tiwtor Cymraeg chi am swydd... tiwtor Cymraeg.
Mewn grwpiau, meddyliwch am gwestiynau i'w gofyn, e.e.

    i.   Pam dach chi isio bod yn diwtor Cymraeg?

    ii.   Be' dach chi'n feddwl sy'n gwneud tiwtor da?

    iii.   Faint o brofiad sy gynnoch chi?

    iv.   Ydy hi'n anodd dysgu Cymraeg yn y gweithle? Pam?

Meddyliwch am ragor o gwestiynau.

Mi fydd eich tiwtor yn ateb y cwestiynau yn gynta. Yna, rhaid i un person o bob grŵp gael
cyfweliad am swydd fel tiwtor Cymraeg!

uned28

28.1 Anghenion arbennig a chyfle cyfartal

Mae cwmni'n gwneud arolwg am anghenion arbennig a chyfle cyfartal yn y lle gwaith.
Llenwch y ffurflen yma, ac yna trafodwch eich atebion efo'r grŵp.

A R O L W G

Faint o weithwyr anabl sy'n gweithio efo chi? _____

Dach chi'n meddwl eu bod nhw'n cael chwarae teg? Pam? _____

_____

Fasai hi'n bosib rhoi cyfle i ragor o bobl anabl weithio efo chi? Sut? _____

_____

Faint o weithwyr o grwpiau ethnig eraill sy'n gweithio efo chi?

_____

Dach chi'n meddwl eu bod nhw'n cael chwarae teg? Pam? _____

_____

Fasai hi'n bosib rhoi cyfle i ragor o bobl o grwpiau ethnig eraill weithio efo chi? Sut?

_____

_____

_____

anghenion arbennig	- *special needs*
cyfle cyfartal	- *equal opportunities*

uned 29

29.1 Siarad am gydweithwyr

Yn eich lle gwaith chi...

    i.   Pwy sy'n gweithio galeta?

    ii.   Pwy sy wedi bod yna ers yr amser hira?

    iii. Pwy sy wedi bod yna leia o amser?

    iv. Pwy sy'n mwynhau ei waith fwya?

    v.   Pwy sy'n mwynhau ei waith leia?

    vi. Pwy sy'n defnyddio'u Cymraeg fwya?

    vii. Pwy sy'n teithio bella?

    viii. Pwy sy'n nabod Cymru orau?

29.2 O blaid ac yn erbyn

> ## 'Mi ddylai'r gallu i siarad Cymraeg fod yn hanfodol yn ein lle gwaith ni.'

Trafodwch resymau o blaid ac yn erbyn y syniad hwn.

O blaid	Yn erbyn
1.	1.
2.	2.
3.	3.

Be' ydy'ch barn chi? Be' ydy barn pobl eraill yn y grŵp / eich lle gwaith chi?

 o blaid ac yn erbyn - *for and against*

uned 30

30.1 Llenwi bylchau

Llenwch y bylchau yn y darn hwn:

    A: Bore da. Swyddfa Jones, Davies a Williams.

    B: Bore da. Ga i siarad _____ Jane Davies, os gwelwch yn dda?

    A: Wnewch chi ddal y lein am funud?

    B: _____ (iawn)

A: Mae'n ddrwg gen i, ond _____ hi ddim yn ateb. Mae'n bosib _____

Mrs Davies wedi mynd am ei _____ (cinio). Fasech chi'n licio _____ (i)

hi eich ffonio chi pan _____ (dod/dŵad) hi'n ôl?

B: Dim diolch, _____ (ffonio) i eto mewn munud.

A: Iawn, _____ hi ddim yn hir, dw i'n siŵr. O, _____ (aros) am funud.

Mae Mrs Davies newydd gerdded i mewn _____ swyddfa. Pwy _____'n

siarad, os gwelwch chi'n dda?

B: Siôn Evans.

A: Dyma Jane Davies i chi rŵan, Mr Evans.

C: Helo, Mr Evans. Mae'n ddrwg gen i eich cadw chi i aros. Be' _____ i wneud

i'ch helpu chi?

B: Dach chi ddim yn fy _____ (cofio) i, mae'n debyg. _____ (siarad)

ni ar y trên o Glasgow i Gaerdydd _____ (3) wythnos yn ôl. _____

(prynu) chi gwpanaid o goffi i mi. Ers hynny, dw i ddim yn medru stopio

meddwl _____ chi. Dw i ddim wedi dweud hyn _____ neb o'r

blaen, Mrs Davies: dw i'n _____ caru chi!

30.2 Ysgrifennu llythyr

Ysgrifennwch lythyr ar un o'r testunau yma (tua 100 o eiriau):

A: Mae eich cwmni / sefydliad wedi cyhoeddi Cynllun Iaith Gymraeg. Ysgrifennwch
lythyr yn dweud eich barn amdano.

B: Mae posibilrwydd y bydd eich cwmni / sefydliad / adran yn cau. Ysgrifennwch lythyr
at eich Aelod Cynulliad yn sôn am eich gwaith ac yn gofyn am help i gadw eich
cwmni / sefydliad / adran ar agor.

C: Mae'r cwrs Cymraeg yn y gwaith
wedi gorffen. Ysgrifennwch at
eich cyflogwr yn gofyn am gael
estyn y cwrs y flwyddyn nesa.

Cynllun Iaith Gymraeg	- *Welsh Language Scheme*
estyn	- *to extend*

Atodiad
i Rieni

Adre efo'r plant – Nodyn i'r rhieni

Dyma rai syniadau i'ch helpu chi a'ch plant bach i ddysgu ychydig o Gymraeg efo'ch gilydd.

- Mwynhewch eich hunain. Mae plant yn dysgu wrth chwarae ac wrth wneud pethau maen nhw'n eu mwynhau. Mi fydd eich plentyn yn dysgu wrth glywed a gweld Cymraeg a gwneud pethau mae o neu hi'n eu mwynhau efo chi.

- Mae'n bwysig eich bod **chi**'n mwynhau yn ogystal â'r plant (*as well as the children*). Os dach chi ddim mewn hwyliau da, mi fydd y plant yn synhwyro (*sense*) hynny. Mae'n well aros nes bydd pethau'n well cyn cychwyn ar gêm neu weithgaredd (*activity*) newydd. Os ydy eich plentyn yn anhwylus (*unwell*) neu wedi blino, neu os ydy o neu hi mewn tymer ddrwg, arhoswch nes bydd yn teimlo'n well.

- Gwnewch y Gymraeg yn rhan o'ch bywyd bob dydd. Ceisiwch roi amser bob dydd i ychydig o Gymraeg o leiaf (*at least*).

- Byddwch yn barod i ailadrodd (*repeat*) y gemau a'r gweithgareddau. Mae ailadrodd yn rhan hollbwysig (*essential*) o ddysgu iaith. Mae plant hefyd yn mwynhau ailadrodd ac mae'n eu gwneud yn fwy hyderus (*confident*). Wrth ichi fynd drwy'r cwrs a gwneud pethau newydd, cofiwch ailadrodd y gweithgareddau wnaethoch

chi mewn wythnosau blaenorol (*previous*) hefyd. Os ydy llyfrau blaenorol y gyfres (*series*) gynnoch chi, *Cwrs Mynediad* a *Cwrs Sylfaen*, mi fedrwch chi ailddefnyddio'r gweithgareddau sy yn y rheiny hefyd.

- Byddwch yn barod i ganu! Mae rhythmau canu'n help mawr i ddysgu patrymau newydd efo'ch plentyn. Mae caneuon hefyd yn aml yn ailadrodd patrymau, ac mae plant bob amser yn mwynhau canu.

- Amynedd (*patience*) ydy'r allwedd (*key*). Efallai y bydd eich plentyn yn ymateb yn Saesneg, neu'n chwarae heb ddweud gair (*without saying a word*), neu efallai y bydd yn troi'r gweithgaredd yn gêm hollol wahanol. Does dim ots. Os ydy o neu hi'n ymateb yn Saesneg, dywedwch chi'r ateb yn Gymraeg. Os nad ydy o neu hi'n dweud dim, dywedwch chi'r ateb dros y plentyn. Os ydy hi'n datblygu'n gêm wahanol, chwaraewch efo fo/hi, a dweud cymaint ag y gallwch chi yn Gymraeg. **Os ydy eich plentyn yn clywed ac yn gweld Cymraeg, yn cael amser da ac yn mwynhau eich cwmni chi yr un pryd, mae'n siŵr o ddysgu.**

- Byddwch yn hyderus. Os ydy eich plentyn yn medru siarad Saesneg, dach chi wedi ei helpu i ddysgu un iaith yn barod.

Pob hwyl!

Atodiad i Rieni - Canolradd

uned 1

1.1 Holiadur yr haf

Pwy wnaeth y pethau yma yn ystod gwyliau'r ysgol? Gofynnwch i'ch partner –
Est ti i'r parc? etc. Os cewch chi'r ateb 'Do', gofynnwch gwestiwn arall yn dechrau
efo Lle, Pryd, Sut neu Efo pwy.

	Partner 1 Enw_____	Partner 2 Enw_____
mynd i'r parc		
chwarae yn yr ardd		
mynd i'r pwll nofio		
edrych ar fideo		
mynd ar wyliau		
darllen llyfr Cymraeg		
mynd i weld ffrindiau		
mynd i'r traeth		
cael barbiciw		

Wedyn symudwch ymlaen at bartner newydd. Gofynnwch i'ch partner newydd am y
partner cyntaf, e.e. Aeth Mary i'r parc?

Adre efo'r plant

Gwnewch lyfr lloffion am eich gwyliau haf.
Yn y llyfr rhowch ffotograffau, lluniau gan y
plant, taflenni, tocynnau, mapiau, ac yn y blaen.
Ysgrifennwch frawddegau yn disgrifio pob ffotograff
neu lun, e.e. Mi aethon ni i'r traeth. Roedd hi'n braf.
Mi gaethon ni hufen iâ.

Cofiwch ddarllen y llyfr
efo'ch plant.

Help llaw!

llyfr lloffion	- *scrapbook*
taflenni	- *leaflets*
ac yn y blaen	- *and so on*

1.2 Stori a llun

- Gwrandewch ar y tiwtor yn darllen y stori 'Diwrnod Cyntaf Megan', am ddiwrnod cyntaf Megan yn y dosbarth derbyn. Wrth wrando, penderfynwch ar drefn y lluniau. Ysgrifennwch rifau wrth ochr y lluniau.

- Mi fydd y tiwtor yn rhoi copi o'r stori i chi. Darllenwch y stori efo'ch partner ac wedyn efo'r dosbarth. Rŵan yn eich tro, cuddiwch y stori, edrych ar y lluniau a cheisio dweud y stori wrth eich partner.

- Heb edrych ar y stori, llenwch y bylchau.

- Deudwch wrth eich partner am ddiwrnod cyntaf eich plentyn chi yn yr ysgol neu yn y cylch meithrin.

Adre efo'r plant

Mae'r tiwtor wedi rhoi copi o'r lluniau i chi. Os ydy'r plant yn ddigon hen, gofynnwch iddyn nhw liwio'r lluniau. Os dyn nhw'n rhy ifanc, lliwiwch y lluniau eich hun a'u torri ar wahân. Yna:

* Dangoswch y lluniau i'ch plentyn wrth ddweud y stori.

* Wedyn cymysgwch y lluniau a gofyn i'r plentyn roi'r lluniau mewn trefn wrth wrando ar y stori.

* Os ydy'r plentyn yn hyderus, efallai bydd o/hi isio cael dweud y stori, a'r tro yna chi fydd yn trefnu'r lluniau.

lliwio	- *to colour*
cymysgu	- *to mix up*
trefnu	- *to organize or to put in order*
hyderus	- *confident*

 1.3 Gwneud jeli

Efo'ch partner, aildrefnwch y brawddegau hyn i esbonio sut mae gwneud jeli.

> Rhoi'r darnau mewn powlen.

> Golchi eich dwylo.

> Troi'r dŵr a'r jeli efo'i gilydd.

> Rhoi dŵr yn y tegell.

> Rhoi'r dŵr berw yn y bowlen ar ben y jeli.

> Rhoi'r tegell i ferwi.

> Rhoi'r bowlen yn yr oergell.

> Torri'r jeli'n ddarnau.

> Agor y pecyn.

Rŵan, rhaid ichi smalio bod chi wedi gwneud y jeli. Deudwch wrth eich partner sut wnaethoch chi'r jeli, e.e. Mi wnaethon ni olchi ein dwylo. Mi wnaethon ni roi dŵr…

 Adre efo'r plant

Ar ôl gwneud jeli neu fwyd syml arall efo'r plant, gofynnwch iddyn nhw gofio be' wnaethoch chi. Helpwch nhw i gofio. Mi fydd hyn yn helpu'r plant i wneud tasgau tebyg yn yr ysgol.

aildrefnu	- *to rearrange*
tebyg	- *similar*

uned2

2.1 Eiddo coll

Dach chi wedi colli llawer o bethau yn yr ystafell wely. Mae eich partner yn eich helpu
i chwilio amdanyn nhw. Gofynnwch gwestiynau i'ch partner gan ddechrau, 'Wyt ti wedi
gweld fy...............?' Mi fydd eich partner yn ateb, 'Ydw, dw i wedi gweld dy ....' gan
bwyntio at y llun.

Dyma'r pethau dach chi wedi eu colli:

teganau	pyjamas	creonau	bag ysgol	gwely	diod

llyfr	menig	rhwyd bysgota

Adre efo'r plant

Mi gewch chi ofyn yr un cwestiynau i'r plant gartre, gan siarad am y llun, neu
wrth chwilio am bethau o gwmpas y tŷ. Efallai bydd y plant lleia yn ymateb trwy
bwyntio'n unig. Deudwch yr ateb drostyn nhw.

2.2 Defnyddio ei _____ hi

i.   Rŵan mi fyddwch chi'n smalio mai ystafell Sara sy yn y llun. Efo'ch partner trafodwch be' sy yn yr ystafell gan ddechrau pob brawddeg efo:

      Yn yr ystafell, mae hi'n cadw ei _____ hi.

ii.   Yna deudwch wrth eich partner be' sy yn ystafell eich merch neu eich wyres neu eich nith.

2.3 Defnyddio ei _____ e

i.   Rŵan mi fyddwch chi'n smalio mai ystafell Dafydd sy yn y llun. Efo'ch partner trafodwch be' sy yn yr ystafell gan ddechrau pob brawddeg efo:

      Yn yr ystafell mae o'n cadw ei _____ o.

ii.   Yna deudwch wrth eich partner be' sy yn ystafell eich mab neu eich ŵyr neu eich nai.

Adre efo'r plant

Mae'r tiwtor wedi rhoi llun Sara a llun Dafydd i chi. Yn gyntaf, defnyddiwch lun Sara i ddangos i'r plant mai ystafell Sara ydy hi. Deudwch wrth y plant, 'Yn yr ystafell mae Sara yn cadw ei _____' gan siarad am bopeth yn yr ystafell a phwyntio at bopeth yn ei dro. Wedyn trowch y llun drosodd a cheisio cofio be' mae Sara yn ei gadw yn yr ystafell.

Ar adeg arall, gwnewch yr un peth efo llun Dafydd.

uned3

3.1 Rhoi cyngor i ffrind

Mae eich ffrind yn gofyn i chi am gyngor achos bod ei phlentyn yn brathu plant eraill yn y cylch meithrin. Efo'ch partner ac efo'r dosbarth trafodwch pa gyngor basech chi'n ei roi i'ch ffrind. Defnyddiwch: Mi faswn i; Faswn i ddim; Mi ddylai'r plentyn; Ddylai'r plentyn ddim; Mi ddylai'r rhiant; Ddylai'r rhiant ddim.

3.2 Rhoi cyngor i blentyn

Mae eich plentyn yn cwyno am broblemau yn yr ysgol ac efo ffrindiau. Dyma'r cyngor wnaethoch chi ei roi i'r plentyn. Be' oedd y problemau? Mae'r broblem gyntaf wedi ei gwneud drosoch chi.

Problem	Cyngor
Roedd rhaid i mi aros i mewn amser chwarae.	Mi ddylet ti wrando ar yr athrawes.
_____	Mi ddylet ti wneud y gwaith cartref.
_____	Mi ddylet ti ddweud wrth yr athrawes.
_____	Mi ddylet ti chwarae efo rhywun arall.
_____	Mi ddylet ti rannu efo dy ffrindiau.
_____	Mi ddylet ti ofyn iddyn nhw eto.

Trafodwch efo'ch partner y problemau eraill mae eich plant wedi cwyno amdanyn nhw, a'r cyngor wnaethoch chi ei roi. Ysgrifennwch y problemau a'r cyngor yma:

 Cân
Tôn – 'Pen-blwydd hapus'

Mi gewch chi wneud mwy o benillion (*verses*) gan amrywio'r person a'r ddiod.

Faset ti'n hoffi te?
Faset ti'n hoffi llaeth?
Faset ti'n hoffi siwgr?
Faset ti'n hoffi te?

Baswn i'n hoffi te
Baswn i'n hoffi llaeth
Baswn i'n hoffi siwgr
Baswn i'n hoffi te

 Adre efo'r plant
Wrth helpu'r plant efo gwaith cartre a gemau a gweithgareddau defnyddiwch:

Mi ddylet ti droi'r papur drosodd.
Mi ddylet ti ddechrau.
Mi ddylet ti ddal y pensil fel yma.
Mi ddylet ti ei wneud o fel hyn.

You should turn the paper over.
You should start.
You should hold the pencil like this.
You should do it like this.

Os oes rhywbeth arall dach chi isio ei ddweud i helpu'r plant, ysgrifennwch nodyn yma i ofyn i'r tiwtor sut i'w ddweud:

_____

_____

_____

_____

uned 4

4.1 Gêm drac
Taflwch ddis i symud o gwmpas y grid. Pan dach chi'n glanio ar sgwâr, cymharwch yr anifail sy yno efo unrhyw ddau anifail arall.

e.e. Mae mwnci'n fawr. Mae arth yn fwy na mwnci. Yr eliffant ydy'r mwya.

Defnyddiwch yr ansoddeiriau (*adjectives*) yma:

araf	arafach	arafa
cyflym	cyflymach	cyflyma
ffyrnig (*fierce*)	ffyrnicach	ffyrnica
blewog (*hairy*)	mwy blewog	mwya blewog
distaw	distawach	distawa
hardd (*beautiful*)	harddach	hardda

tal	talach	tala
tew	tewach	tewa
bach	llai	lleia
mawr	mwy	mwya
drwg	gwaeth	gwaetha
da	gwell	gorau

dechrau

mwnci	parot	glöyn byw	pry copyn	crwban
morgrugyn	blaidd	arth (b)	eliffant	jiráff
hipopotamws	llew	sebra	carw	llewpard
cwningen (b)	llwynog	mochyn daear	draenog	ceffyl
merlyn	asyn	bochdew	mochyn cwta	llygoden (b)

diwedd

Adre efo'r plant
Chwaraewch y gêm drac.

uned5

5.1 Gêm dyfalu anifeiliaid

A: Be' sy'n wyrdd, sy'n neidio, ac sy'n dweud ribit?

B: Llyffant sy'n wyrdd, sy'n neidio, ac sy'n dweud ribit.

Efo'ch partner dilynwch y patrwm i ofyn ac ateb am anifeiliaid eraill.

Hefyd, mae llawer o jôcs yn dechrau efo 'Be' sy'n....?'
Dach chi'n gallu meddwl am rai? Mae plant yn eu hoffi hefyd.

Adre efo'r plant

Chwaraewch yr un gêm. Efo plant ifanc iawn, mi fasech chi'n medru dangos lluniau
o anifeiliaid iddyn nhw wrth ofyn y cwestiynau, fel eu bod yn dewis un allan o dri.

5.2 Pwy oedd yn ...?

Mae'r tiwtor yn gofyn i un person fynd i eistedd o flaen y dosbarth efo'i gefn/chefn
at bawb arall. Mae'r tiwtor yn pwyntio at un o'r dysgwyr eraill, ac mae'r dysgwr yna'n
dweud, er enghraifft:

Pan o'n i'n blentyn, ro'n i'n mynd i'r Brownies

(gan sôn am rywbeth roedd o neu hi'n arfer wneud).

Mae'r tiwtor yn gofyn 'Pwy oedd yn mynd i'r Brownies?' Mae'r un sy'n eistedd efo'i
gefn/chefn at y dosbarth yn dyfalu pwy siaradodd gan ddweud 'Jane oedd yn mynd i'r
Brownies'. Os ydy o/hi'n gywir, mae Jane yn mynd i eistedd o flaen y dosbarth ac mae'r
gêm yn ailgychwyn. Os ydy o/hi'n anghywir, rhaid dweud eto nes cael yr enw cywir.

Adre efo'r plant

- Recordiwch leisiau ffrindiau ac aelodau'r teulu. Chwaraewch y tâp a gofyn i'r plant 'Pwy
  oedd yn siarad?' Mi gewch chi un gair yn ateb mae'n debyg – Liam. Ailadroddwch chi'r
  ateb efo brawddeg lawn – Ia, Liam oedd yn siarad.

- Recordiwch seiniau cyffredin o gwmpas y tŷ, e.e. ffôn yn canu, peiriant golchi, drws yn
  cau, ci'n cyfarth, sŵn traed ar y grisiau. Chwaraewch y tâp a gofyn, 'Be' oedd yn gwneud
  sŵn?' Unwaith eto, ailadroddwch yr ateb yn llawn.

- Wrth ddarllen llyfrau efo'r plant, stopiwch weithiau cyn troi'r dudalen a gofyn
  cwestiynau fel:

      'Be' fydd yn digwydd nesaf?'
      'Pwy fydd yn cyrraedd nesaf?'
      'Pwy fydd yn helpu?'

Mi ddylech chi wrando ar bob ateb mae'r plant yn awgrymu
ac wedyn dweud 'Gawn ni weld' wrth droi'r dudalen.

Help llaw

awgrymu	- *to suggest*
gawn ni weld	- *let's see*

uned6

6.1 Yn y gegin

Dach chi wedi rhoi goriadau'r tŷ mewn 3 lle diogel yn y gegin. Dewiswch dri o'r llefydd hyn:

Yn y cwpwrdd	Yn yr oergell
Ar y silff	Ar y bwrdd
Dan y tun bisgedi	Dan y cloc
Y tu ôl i'r peiriant golchi	Y tu ôl i'r calendr
Yn ymyl y sinc	Yn ymyl y radio

Mi fydd eich partner yn holi nes cael hyd i'r goriadau i gyd.

Yn ymyl y sinc maen nhw?   *Ia / Naci*

Rŵan holwch eich partner i ddarganfod lle mae ei oriadau fo/ei goriadau hi.

Yna, symudwch ymlaen at bartner newydd i drafod lle roedd goriadau eich partneriaid cyntaf, gan ofyn:

Lle roedd goriadau Marc? Yn ymyl y sinc roedden nhw?   *Ia / Naci*

Adre efo'r plant

Yn y gegin, neu'r ystafell wely neu'r lolfa, chwaraewch yr un gêm. Cuddiwch deganau bach. Ar y dechrau, mi ddylech adael i'r plentyn guddio'r teganau a chi fydd yn holi. Ar ôl chwarae nifer o weithiau, mae'n bosib bydd y plentyn yn ddigon hyderus i holi ar ôl i chi guddio'r teganau.

6.2 Trafod lluniau neu waith y plant

Yn aml iawn mae plant yn dŵad â lluniau neu waith llaw adre o'r cylch meithrin a'r dosbarth derbyn. Weithiau maen nhw'n siarad am be' maen nhw wedi'i wneud. Dyma ychydig o bethau i ddweud wrth y plant. Efo'ch partner ac efo'r dosbarth, newidiwch y geiriau mewn print tywyll. Pan fyddwch yn gofyn y cwestiynau hyn i'r plant, ceisiwch eu cael i ateb 'Ia', neu 'Naci'. Os byddan nhw'n ateb 'Naci', mi allwch chi awgrymu posibilrwydd arall.

Efo **Mrs Williams** wnest ti'r gwaith?	Ia		
Efo **creonau** wnest ti'r llun?	Naci	Efo paent?	Ia
Yn y bore wnest ti'r prawf?	Ia		
Yn yr iard wnest ti ymarfer corff?	Naci	Yn y dosbarth?	Ia
Ar dy ben dy hun wnest ti'r **cerdyn**?	Naci	Efo Mrs Williams?	Ia

Dach chi'n medru meddwl am ragor o gwestiynau fel hyn?

_____

_____

 Cân

Tôn – 'Bing, bong, be'

Yn y tŷ mae tedi?
Yn y tŷ mae tedi?
Yn y tŷ mae tedi?
Ia, Ia, Ia!

Ar y bwrdd mae'r jig-so?
Ar y bwrdd mae'r jig-so?
Ar y bwrdd mae'r jig-so?
Naci wir!

Dan y sêt mae'r sgidiau?
Dan y sêt mae'r sgidiau?
Dan y sêt mae'r sgidiau?
Ia, Ia, Ia!

uned 7

7.1 Mi ddwedodd hi, Mi ddwedodd o…

Mae gan blant ddychymyg byw. Maen nhw wrth eu bodd yn smalio bod yn gymeriadau byd teledu neu anifeiliaid ac yn chwarae gemau ffantasi. Be' a phwy mae eich plant chi wedi smalio bod? Be' maen nhw wedi smalio ei wneud? Trafodwch efo'ch partner ac efo'r dosbarth.

Un tro, mi ddwedodd Sara bod hi'n **dywysoges**
Ddoe, mi ddwedodd Owen fod o'n **gyrru trên**

Os dwedon nhw bod nhw'n gymeriad penodol, rhaid ichi ddefnyddio **mai**:

Mi ddwedodd Mair taw Mrs Williams yr athrawes oedd hi.

Help llaw

dychymyg byw	- *lively imagination*
smalio	- *to pretend*
tywysoges (b)	- *princess*
penodol	- *definite*
sibrwd	- *to whisper*

7.2 Sibrwd y neges

Mewn grwpiau o bedwar neu bump.

e.e. Dewi, Sara, Laura a Marc

Mae Dewi'n sibrwd wrth Sara: Dw i'n mynd i nofio ar ôl y dosbarth.
Mae Sara'n sibrwd wrth Laura: Mi ddwedodd o fod o'n mynd i nofio ar ôl y dosbarth.
Mae Laura'n sibrwd yr un neges wrth Marc.
Mae Marc yn dweud wrth Dewi: Mi ddwedaist ti fod ti'n mynd i nofio ar ôl y dosbarth.

Mae'n bosib bydd y neges wedi newid!

Mae pawb yn cymryd tro i ddechrau'r neges. Os mai Sara sy'n dechrau, cofiwch ddweud: 'Mi ddwedodd hi bod hi…'

Rhaid i bob neges ddechrau efo **Dw** i neu **Ro'n** i.

Os bydd pawb yn pasio'r negeseuon ymlaen yn dda, efallai bydd y tiwtor yn penderfynu gwneud un cylch mawr efo'r dosbarth cyfan!

 Adre efo'r plant

Chwaraewch y gêm sibrwd

uned8

 8.1 Seiniau yn y dosbarth

Mi fydd y tiwtor yn gofyn i chi gau eich llygaid a gwrando'n ofalus am ychydig o funudau. Rŵan agorwch eich llygaid a dweud wrth y tiwtor be' glywoch chi, e.e. lleisiau yn yr ystafell drws nesa, adar yn canu, traffig, peiriant llungopïo yn y swyddfa, dysgwr yn chwyrnu. Mi fydd y tiwtor yn ysgrifennu pob dim ar y bwrdd.

Mewn grwpiau bach trafodwch pa rai o'r seiniau wnaethoch chi mo'u clywed, e.e.

Mi glywais i'r traffig
Chlywais i mo'r adar.

 Adre efo'r plant

Chwaraewch yr un gêm.

uned9

9.1 Annwyl Siôn Corn

Mi fydd y tiwtor yn rhoi darn o bapur i chi. Ar y darn o bapur, ysgrifennwch lythyr at Siôn Corn. Mi gewch chi ofyn iddo fo am unrhyw beth hoffech chi ei gael yn anrheg (does dim ots os ydy'r Nadolig yn bell i ffwrdd). Deudwch bod chi'n hogyn da neu'n hogan dda ac felly dylech chi gael yr anrhegion. Rhaid esbonio pam dach chi'n meddwl bod chi'n hogyn da neu'n hogan dda. Ar ddiwedd y llythyr, rhowch ffugenw.

Yn lle ysgrifennu drosoch eich hun, mi fasech chi'n medru ysgrifennu dros berson enwog.

Mi fydd y tiwtor yn casglu'r llythyrau i gyd a'u darllen. Mi fydd o/hi yn gofyn i'r dosbarth ddyfalu pwy ysgrifennodd y llythyrau.

Help llaw

esbonio	- *to explain*
ffugenw	- *pen name*
ogof	- *cave*
Pegwn y Gogledd	- *North Pole*
Gwlad yr Iâ	- *Iceland*

Adre efo'r plant

Cofiwch helpu'r plant i ysgrifennu at Siôn Corn.

Y cyfeiriad ydy:

Ogof Siôn Corn
Pegwn y Gogledd
Gwlad yr Iâ

Annwyl Anti Marian ac Yncl Cliff

Diolch yn fawr iawn am y crys rygbi.
Mae'n fendigedig! Mi fydda i'n ei wisgo
fo dydd Sadwrn nesa pan fydd Cymru'n
chwarae yn erbyn De Affrica.

Cariad mawr

Alys xx

Hefyd, pan fydd y plant yn
cael anrhegion pen-blwydd
neu anrhegion Nadolig, helpwch nhw i
ysgrifennu llythyr neu
e-bost i ddweud diolch.

uned**10**

10.1 Cwestiynau adolygu

Efo'ch partner, taflwch ddis i symud o gwmpas y grid a thrafod eich plant. Pan fyddwch chi'n glanio ar sgwâr, rhaid ichi ateb y cwestiwn.

dechrau

Be' wnaeth y plant ddoe?	Be' mae rhaid i'r plant wneud fory?	Be' ddylai'r plant wneud dros y Sul?	Be' mae'r plant yn feddwl o *Planed Plant*?	Be' mae'r plant yn hoffi wneud orau?
Yn y bore, pwy sy'n gwneud be'? *Fi sy'n... X sy'n...*	Be' ddwedodd y plant y bore 'ma?	Be' wnaeth y plant y bore 'ma?	Be' na wnaeth y plant y bore 'ma? *... mo'r ...*	Be' mae rhaid i'r plant wneud bob bore ar ôl codi?
Be' ddylai'r plant wneud heno?	Be' hoffai'r plant fwyta i de heddiw?	Be' mae'r plant yn feddwl o *Sali Mali*?	Pa raglenni hoffai'r plant eu gwylio ar y teledu heddiw?	Be' mae rhaid i'r plant wneud bob nos cyn mynd i'r gwely?

diwedd

10.2 Holi'r plant

Dyma ychydig o gwestiynau i ofyn i'ch plant o dro i dro. Efo'ch partner ac efo'r dosbarth, ymarferwch y cwestiynau a phenderfynwch pryd basech chi'n eu gofyn nhw.

Be' wnest ti yn yr ysgol/yn y cylch meithrin heddiw?
Be' mae rhaid i ni wneud rŵan?
Be' ddylen ni wneud rŵan?
Be' wyt ti'n feddwl o'r rhaglen/llyfr/ffilm/gêm?
Be' sy'n well gen ti? Hwn neu hwnna/hon neu honna?
Pwy sy isio gwneud hyn?
Be' ddwedodd o/hi?

Adre efo'r plant

Ceisiwch ddefnyddio cymaint o'r cwestiynau hyn ag y medrwch chi cyn y dosbarth nesaf.

10.3 Stori a llun

Gwrandewch ar y tiwtor yn darllen am wasanaeth Rhys yn yr ysgol. Wrth wrando, penderfynwch ar drefn y lluniau. Ysgrifennwch rifau wrth ochr y lluniau.

Mi fydd y tiwtor yn rhoi copi o'r stori i chi. Darllenwch y stori efo'ch partner ac wedyn efo'r dosbarth. Rŵan yn eich tro, cuddiwch y stori, edrych ar y lluniau a cheisio dweud y stori wrth eich partner. Heb edrych ar y stori, llenwch y bylchau.

10.4 Sgwrsio

Os ydy'ch plentyn chi wedi cymryd rhan mewn gwasanaeth yn yr ysgol, neu os dach chi'n cofio be' oedd yn digwydd yn y gwasanaeth yn eich ysgol chi, deudwch wrth eich partner amdano.

Adre efo'r plant

Mae'r tiwtor wedi rhoi copi o'r lluniau i chi. Os ydy'r plant yn ddigon hen, gofynnwch iddyn nhw liwio'r lluniau. Os dyn nhw'n rhy ifanc, lliwiwch y lluniau eich hun a'u torri ar wahân. Yna:

- dangoswch y lluniau i'ch plentyn wrth ddweud y stori
- yna cymysgwch y lluniau a gofyn i'r plentyn drefnu'r lluniau wrth wrando ar y stori
- os ydy'r plentyn yn hyderus, efallai bydd o/hi isio cael dweud y stori, a'r tro yma chi fydd yn trefnu'r lluniau.

uned**11**

11.1 Tacluso'r teganau

Efo'r dosbarth ac efo'ch partner, newidiwch y geiriau mewn print tywyll:

I le mae'r **darn** yma yn perthyn?
I ba **gêm** mae hwn yn perthyn?
I bwy mae'r **sanau** yma yn perthyn?
Ym mha **focs** mae hwn yn mynd?
Ym mha **ystafell** mae hon i fod?
Ym mha **gwpwrdd** welaist ti'r rhan arall?
Ar bwy mae'r bai am y **llanast** yma?

Efo'ch partner, cymerwch dro i gau eich llyfrau a cheisio cofio'r brawddegau.

Adre efo'r plant

Helpwch eich plant i dacluso.
Mae'n gyfle da i ymarfer eich Cymraeg.

llanast	-	*mess*
tacluso	-	*to tidy up*
blwch	-	*bocs*

Cân

Tôn – 'Heno, heno,
hen blant bach'

Helpa mami yma plîs!
Helpa mami yma plîs!

Rho'r teganau yn y blwch,
Rho'r teganau yn y blwch.

Bwyta bopeth ar y plât,
Bwyta bopeth ar y plât.

Dwed wrth mami'n dawel beth sy'n bod,
Dwed wrth mami'n dawel beth sy'n bod.

uned 12

12.1 Gofyn cwestiynau

Gofynnwch y cwestiynau yma i'ch partner.

Lle gaeth eich plentyn cyntaf ei eni?

Ym mha flwyddyn gaeth eich plentyn cyntaf ei eni?

Ym mha fis gaeth eich plentyn cyntaf ei eni?

Ar ba ddiwrnod o'r wythnos gaeth eich plentyn cyntaf ei eni?

Am faint o'r gloch gaeth eich plentyn cyntaf ei eni?

Ym mha fath o ddillad gaeth eich plentyn cyntaf ei wisgo i ddŵad adre o'r ysbyty?

Adre efo'r plant

Defnyddiwch eich atebion eich hunan i'r cwestiynau hyn i wneud llyfr lloffion
am eich plentyn. Mae plant yn mwynhau cyfle i ddarllen am eu dyddiau cynnar.

uned 13

13.1 Hysbysebu

Mi fydd Cymdeithas Rieni'r Ysgol yn
cynnal bore coffi i godi arian. Efo'ch
partner ysgrifennwch hysbyseb i'w rhoi
yn y papur bro. Defnyddiwch:

Cynhelir . . .

Agorir y bore coffi gan . . .

Gwerthir . . .

Rhoddir gwobrau raffl gan . . .

13.2 Sgwrs mewn sefyllfa

Partner A: Ffoniwch swyddfa'r papur bro a gofyn iddyn nhw roi'r hysbyseb yn y papur.

Partner B: Deudwch fod gynnoch chi diddordeb mewn ysgrifennu erthygl am y bore coffi. Gofynnwch am fanylion.

 Adre efo'r plant

Be' am smalio eich bod yn cynnal ffair sborion yn y tŷ? Casglwch bethau 'i'w gwerthu' (dillad, teganau, bwyd). Helpwch y plant i ysgrifennu arwyddion i'w rhoi wrth ochr y pethau

i ddweud faint maen nhw'n gostio. Helpwch nhw i ysgrifennu poster yn hysbysebu'r ffair. Rhowch y poster ar y drws. Cymerwch dro efo'r plant i chwarae siopwr a chwsmer.

Help llaw

papur bro	-	*local voluntary Welsh newspaper*
manylion	-	*details*
ffair sborion	-	*jumble sale*

uned 14

14.1 Sgwrs mewn sefyllfa

Partner A: Dach chi'n mynd â'r babi newydd am dro. Dydy'r babi ddim yn cysgu'n dda. Mae llawer o waith tŷ i'w wneud. Dach chi'n teimlo'n flinedig iawn. Dach chi'n gweld un o'r cymdogion ac yn stopio i siarad efo hi neu fo.

Partner B: Yn y stryd, dach chi'n gweld eich cymydog efo'r babi newydd. Mae hi neu fo'n edrych yn flinedig. Llongyfarchwch eich cymydog a siarad efo hi neu fo am y gwaith caled.

Adre efo'r plant

Pen-blwydd hapus! 4 oed   Diolch yn fawr   Llongyfarchiadau!

Mae llawer o bethau'n digwydd yn y teulu ac efo ffrindiau lle mae gofyn i chi anfon gair i'w llongyfarch. Gwnewch ychydig o gardiau efo'r plant a'u cadw wrth gefn. Pan fydd achlysur i'w ddathlu, ychwanegwch gyfarchion ac mi fydd y cerdyn yn barod i'w anfon.

Help llaw

mae gofyn i chi	-	*you are required to*
anfon gair	-	*to send a word*
wrth gefn	-	*in reserve*
achlysur	-	*occasion*
ychwanegu	-	*to add*
cyfarchion	-	*greetings*

uned 15

15.1 Stori Jac a'r Goeden Ffa
Efo'r dosbarth, darllenwch y stori.

Mae Mam yn siarad efo Jac.
Mae hi'n dweud wrtho fo am werthu'r fuwch.
Mae Jac yn mynd i'r farchnad.
Mae Jac yn siarad efo hen ddynes.
Mae o'n gwerthu'r fuwch i'r hen ddynes.
Mae o'n gwerthu'r fuwch am gwdyn o aur.
Mae Jac yn rhoi'r cwdyn i'w fam.
Mae Mam Jac yn edrych yn y cwdyn.
Mae hi'n cwyno am y ffa yn y cwdyn.
Mae hi'n rhoi'r ffa yn yr ardd.
Mae Jac yn edrych ar yr ardd y bore wedyn.
Mae o'n sylwi ar goeden ffa yn yr ardd.
Mae o'n dringo i fyny'r goeden.
Mae o'n edrych ar y cawr ar ben y goeden.
Mae o'n chwilio am drysor y cawr.
Mae'r cawr yn gweiddi ar Jac.
Mae Jac yn dringo i lawr y goeden.
Mae o'n torri'r goeden efo bwyell.
Mae o'n rhoi'r trysor i'w fam.
Mae Jac yn cael ei longyfarch gan bawb.

Efo'ch partner, newidiwch y brawddegau uchod yn gwestiynau.
Dechreuwch y cwestiynau efo: efo; wrth; i; am; yn; ar; i fyny; i lawr; gan.

Efo pwy mae Mam Jac yn siarad?

Wrth bwy mae hi'n dweud am werthu'r fuwch?

Wedyn cymerwch dro i gau
eich llyfrau a thrio cofio'r stori.
Os dach chi'n anghofio rhan
o'r stori, gofynnwch i'ch partner,
e.e. Am be' mae Jac yn chwilio?

Help llaw		
cwdyn o aur	-	*a bag of gold*
ffa	-	*beans*
coeden ffa (b)	-	*beanstalk*
cawr	-	*giant*
sylwi ar	-	*to notice*
gweiddi ar	-	*to shout*
bwyell (b)	-	*axe*
lle amlwg	-	*a prominent place*

Adre efo'r plant

Mae'n bosib bod eich plant yn gwybod stori 'Jac a'r Goeden Ffa'. Os oes gynnoch chi gopi o'r stori mewn llyfr, yn Gymraeg neu Saesneg, darllenwch y stori iddyn nhw. Wedyn helpwch y plant i ddweud y stori, gan ddefnyddio doliau ar gyfer Jac, Mam Jac, yr hen ddynes, a'r cawr; tegan am y fuwch; planhigyn plastig am y goeden ffa, ac yn y blaen. Os ydy'r plant yn anghofio'r stori, gofynnwch gwestiynau, e.e. I bwy mae Jac yn gwerthu'r fuwch?

Mae'n bosib bydd y plant yn gofyn i chi ddweud y stori fwy nag unwaith, felly cadwch y doliau a'r teganau dach chi'n defnyddio wrth law. Os dach chi'n eu gadael nhw mewn lle amlwg yn y tŷ, mae'n bosib bydd y plant yn chwarae efo nhw a dweud y stori eu hunain.

uned 16

16.1 Rhoi barn

Mae eich tiwtor wedi dŵad ag ychydig o lyfrau plant bach i mewn i'r dosbarth. Mewn parau edrychwch ar un llyfr ar y tro. Trafodwch y llyfrau. Nodwch deitl pob llyfr a be' dach chi'n feddwl ohono.

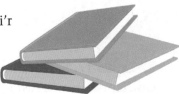

Dyma restr o eiriau defnyddiol:

ardderchog	da iawn	diflas
bendigedig	dim yn rhy ddrwg	gwael
gwych	gweddol	anobeithiol
hyfryd	dim yn rhy dda	ofnadwy
doniol	brawychus - *frightening*	lliwgar - *colourful*

	Teitl y llyfr	Ein barn ni
Llyfr 1	_____	_____
Llyfr 2	_____	_____
Llyfr 3	_____	_____
Llyfr 4	_____	_____
Llyfr 5	_____	_____

Adre efo'r plant

Ewch â'r plant i'r llyfrgell i fenthyg ychydig o lyfrau Cymraeg i'w darllen adre.

16.2 Disgrifio pobl

Meddyliwch am gymeriadau mewn llyfrau a ffilmiau i blant. Efo'ch partner yn gyntaf, ac wedyn efo'r dosbarth, cymerwch dro i ddisgrifio cymeriad. Mi fydd pawb arall yn dyfalu pwy ydy'r cymeriad.

Adre efo'r plant

Ar ôl gwylio ffilm neu ddarllen llyfr efo'r plant, chwaraewch gêm ddyfalu.
Disgrifiwch gymeriad a gofyn i'r plant 'Pwy ydy o/hi?'

 Cân

Tôn - *Traddodiadol*

Mae gen i dipyn o dŷ bach twt,
O dŷ bach twt,
O dŷ bach twt.
Mae gen i dipyn o dŷ bach twt,
A'r gwynt i'r drws bob bore.

Hei di ho,
Di hei di hei di ho
A'r gwynt i'r drws bob bore.

uned17

✏️ 😀😀 **17.1 Gorchmynion**

Gorffennwch y brawddegau yma i wneud gorchmynion
dach chi'n eu defnyddio efo'ch plant.

Dos i nôl	_____
Dos â hwn i	_____
Tyrd â	_____
Tyrd	_____
Rho	_____
Tro	_____
Deud	_____
Gwranda	_____
Bydd yn	_____
Arhosa am	_____
Paid	_____

Cymharwch eich atebion chi efo atebion eich partner.
Trafodwch pryd a pham dach chi'n defnyddio'r gorchmynion yma.

17.2 Tyfu berwr

Rhowch y gorchmynion yma yn y drefn gywir.

☐ Rhowch ddarn o wlân cotwm yn y plisgyn wy.

☐ Paentiwch wyneb ar y plisgyn wy.

☐ Rhowch had berwr ar y gwlân cotwm.

☐ Rhowch y plisgyn wy mewn lle cynnes.

☐ Cadwch blisgyn wy gwag.

☐ Cadwch y gwlân cotwm yn llaith.

☐ Rhowch ddŵr ar y gwlân cotwm.

Help llaw 🦋	
gwlân cotwm	- *cotton wool*
berwr	- *cress*
plisgyn	- *shell*
had	- *seed*
llaith	- *moist*

 Adre efo'r plant

Tyfwch ferwr mewn plisg wy efo wynebau wedi'u paentio arnyn nhw.
Mi fydd y berwr yn tyfu i edrych fel gwallt.

uned 18

18.1 Trafod rhaglenni teledu

Mae'r tiwtor wedi rhoi rhestr o raglenni teledu Cymraeg
i blant ar y bwrdd. Mewn grwpiau bach trafodwch:

1. Pa rai dach chi wedi'u gweld a be' oeddech chi'n feddwl ohonyn nhw?
2. Pa rai hoffech chi wybod mwy amdanyn nhw?
3. Pa raglenni oeddech chi'n gwylio pan oeddech chi'n blentyn?
4. Sut roedd y rhaglenni roeddech chi'n arfer eu gwylio'n wahanol
   i raglenni mae eich plant chi'n eu gwylio?

Efallai bod modd dangos fideo yn eich dosbarth chi. Os felly, mi fydd y tiwtor wedi recordio
pigion o nifer o raglenni plant i'w dangos i chi. Unwaith eto yn eich grwpiau trafodwch:

1. Be' dach chi'n feddwl o'r rhaglenni?
2. Pa rai fasai'n addas i'ch plant chi?
3. Pa raglenni newydd fasech chi'n awgrymu i S4C ar gyfer plant
   bach a hefyd ar gyfer rhieni sy'n dysgu Cymraeg efo'u plant?

18.2 Sgwrs mewn sefyllfa

Partner A: Dach chi'n gweithio i S4C. Dach chi'n ymweld â'r cylch meithrin. Dach chi'n
cyfweld rhieni i ofyn pa fath o raglenni hoffen nhw wylio efo'u plant bach.

Partner B: Mae S4C yn gwneud ymchwil farchnad yn eich cylch meithrin lleol.
Deudwch wrth y cyfwelydd pa fath o raglenni hoffech chi eu gwylio efo'ch
plant bach. Cofiwch sôn am gynnwys y rhaglen, iaith y rhaglen, amser
darlledu, ac yn y blaen.

Adre efo'r plant

Edrychwch ar raglen Gymraeg efo'ch plant bach. Os oes modd, edrychwch ar raglen dach chi ddim wedi ei gweld o'r blaen. Byddwch yn barod i siarad am y rhaglen mewn grŵp bach yn y dosbarth yr wythnos nesaf.

Help llaw

efallai bod modd	- *perhaps it's possible*
pigion	- *highlights*
ymchwil farchnad	- *market research*
cyfwelydd	- *interviewer*
os oes modd	- *if possible*

uned 19

 19.1 Trafod arferion bob dydd

Unwaith	y dydd
Dwywaith	yr wythnos
Tair gwaith	y mis
Pedair gwaith	y flwyddyn
Pum gwaith	
Chwe gwaith	
Byth!	
Bron byth	

Efo'ch partner, trafodwch:

Pa mor aml fydd y plant yn bwyta pethau da?
Pa mor aml fydd y plant yn bwyta llysiau?
Pa mor aml fydd y plant yn yfed pop?
Pa mor aml fydd y plant yn yfed dŵr?
Pa mor aml fydd y plant yn tacluso eu teganau?
Pa mor aml fydd y plant yn helpu efo gwaith tŷ?
Pa mor aml fydd y plant yn chwarae yn yr ardd neu yn y parc?
Pa mor aml fydd y plant yn edrych ar y teledu?
Pa mor aml fydd y plant yn deffro yn ystod y nos?

Efo'ch partner, trafodwch pa bethau dach chi erioed wedi'u gwneud efo'r plant ac yr hoffech chi eu gwneud yn y dyfodol. Siaradwch am:

- diddordebau
- chwaraeon
- teithio
- ffilmiau
- llyfrau
- ac yn y blaen.

Cân

Tôn – 'Pop Goes the Weasel'

Unwaith, dwywaith, tair gwaith
Pedair, pum a chwe gwaith,
Saith ac wyth a naw gwaith
Deg gwaith sy'n ddigon.

Adre efo'r plant

Chwaraewch gêm taflu pêl sbwng neu fag ffa i mewn i fin neu fasged. Cytunwch lle dylai'r plant sefyll wrth daflu, a rhoi mat neu ddarn o bapur ar y llawr i ddangos y lle. Os oes gwahaniaeth mawr ym maint a gallu'r chwaraewyr, mi fydd rhaid symud y mat ar gyfer pob person. Mi fydd pawb yn cael taflu dair gwaith cyn pasio'r bêl ymlaen i'r person nesaf. Wrth i bawb daflu'r bêl deudwch **unwaith**, **dwywaith**, **tair gwaith**.

Help llaw!

maint	- *size*
gallu	- *ability*
llwyddo	- *to succeed*

Mi gewch chi gadw sgôr ac ar ddiwedd y gêm mi fasech chi'n medru dweud faint o weithiau mae pawb wedi llwyddo i daflu'r bêl i mewn i'r bin.

uned20

20.1 Gêm drac

Taflwch ddis i symud o gwmpas y grid. Wrth lanio ar sgwâr, rhaid i chi ddweud wrth eich partner am wneud be' sy yn y sgwâr yr un nifer o weithiau â'r rhif ar y dis.

e.e. Os dach chi'n taflu 3 ar y dis, deudwch 'Neidia i fyny ac i lawr dair gwaith'.

Cofiwch:

1. unwaith	**3.** tair gwaith	**5.** pum gwaith
2. dwywaith	**4.** pedair gwaith	**6.** chwe gwaith

dechrau

Tria roi dy dafod ar dy drwyn.	Coda dy law.	Neidia i fyny ac i lawr.	Deud 'Os gwelwch chi'n dda'.	Coda bensil.
Caea'r drws ac agora'r drws.	Rho dy fys ar dy drwyn.	Tro o gwmpas.	Neidia o un droed i'r llall.	Cura dy ddwylo.
Stampia dy droed.	Rhwbia dy drwyn.	Deud 'Bore da'.	Dos at y drws a tyrd nôl.	Edrycha i'r dde ac wedyn i'r chwith.
Sycha dy drwyn.	Agora dy geg a chaea dy geg.	Rho dy fys ar dy glust.	Deud 'diolch'.	Coda ac eistedda.

diwedd

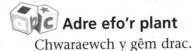 **Adre efo'r plant**

Chwaraewch y gêm drac.

Atodiad i Rieni - Canolradd: Uned 20

20.2 Stori a llun
Yn gyntaf, gwrandewch ar y tiwtor yn darllen am fabi newydd teulu Rhys a Megan.
Wrth wrando, penderfynwch ar drefn y lluniau. Ysgrifennwch rifau wrth ochr y lluniau.

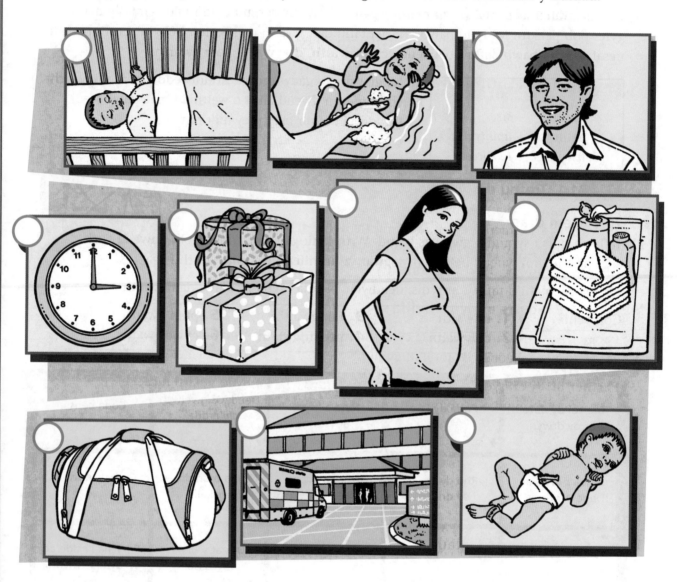

Rŵan mi fydd y tiwtor yn rhoi copi o'r stori i chi. Darllenwch y stori efo'ch partner
ac wedyn efo'r dosbarth. Rŵan cymerwch dro i guddio'r stori, edrych ar y lluniau
a thrio dweud y stori wrth eich partner.

Heb edrych ar y stori, llenwch y bylchau.

 ### 20.3 Sgwrsio
Deudwch hanes dŵad â'ch plentyn cyntaf chi adre o'r ysbyty wrth eich partner.

Adre efo'r plant

Mae'r tiwtor wedi rhoi copi o'r lluniau i chi. Os ydy'r plant yn ddigon hen,
gofynnwch iddyn nhw liwio'r lluniau. Os dyn nhw'n rhy ifanc, lliwiwch y
lluniau eich hun a'u torri ar wahân. Yna:

- dangoswch y lluniau i'ch plentyn wrth ddweud y stori
- wedyn cymysgwch y lluniau a gofyn i'r plentyn drefnu'r lluniau wrth wrando ar y stori
- os ydy'r plentyn yn hyderus, efallai bydd o/hi isio cael dweud y stori ei hun, a'r tro
  yma chi fydd yn trefnu'r lluniau.

uned21.1

 21.1 Trefnu digwyddiad

Mewn grwpiau bach trefnwch barti diwedd y flwyddyn
ar gyfer plant a rhieni'r cylch meithrin lleol. Penderfynwch
lle a phryd bydd y parti. Pwy fydd yn gwneud y bwyd?
Pa fath o fwyd? Be' fydd yr adloniant?

 21.2 Sgwrs mewn sefyllfa

Partner A: Ar ran pwyllgor y cylch meithrin, dach chi'n mynd i drafod y parti efo
rheolwr y ganolfan gymunedol lle bydd y parti'n cael ei gynnal.

Partner B: Chi ydy rheolwr y ganolfan gymunedol lle bydd y parti'n cael ei
gynnal. Gofynnwch:

- be' ydy dyddiad y parti
- pryd bydd o'n dechrau ac yn gorffen
- oes angen byrddau a chadeiriau
- be' fydd yn digwydd yn y parti
- fydd angen defnyddio'r gegin.

 21.3 Gwahoddiadau

Efo'ch partner ysgrifennwch wahoddiad i'r parti
i'w anfon at deulu pob plentyn yn y cylch meithrin.

 Adre efo'r plant

Ysgrifennwch restr o ddyddiadau pwysig i'r teulu a rhoi'r rhestr
ar wal y gegin. Pan fyddwch chi'n cyrraedd y dyddiadau hynny,
tynnwch sylw'r plant at y dyddiadau a'u harwyddocâd.

Os oes bwrdd du neu wyn yn y gegin ar gyfer negeseuon,
ysgrifennwch efo'r plant bob dydd:

Y dyddiad heddiw ydy _____

Am wythnos neu ddwy ar y tro, efallai yn ystod gwyliau'r ysgol, cadwch ddyddiadur efo'r plant. Mewn llyfr nodiadau neu lyfr lloffion, ysgrifennwch y dyddiad ac ychydig o frawddegau am be' wnaethoch chi yn ystod y dydd.

Help llaw

arwyddocâd - *significance*

uned**22**

22.1 Dyfalu

Efo'ch partner, dyfalwch pa rai o'r geiriau hyn sy'n wrywaidd a pha rai sy'n fenywaidd. Ysgrifennwch nhw yn y colofnau. Mi fydd eich tiwtor yn eu cywiro.

car, lori, trên, tractor, garej, gorsaf, fferm, ceffyl, buwch, mochyn, dafad, iâr, cwpan, plât, llwy, esgid, het, maneg, hosan, bwrdd, cadair, desg, cwpwrdd, papur, pensil, cyfrifiadur, disg.

Benywaidd	Gwrywaidd

Yna ewch ati i roi **hwn** neu **hon** ar ôl pob gair.

Help llaw

colofn(au) (b) - *column(s)*
ewch ati   - *set about*

 Adre efo'r plant

Chwarae gêm deimlo. Mi fydd angen nifer o wrthrychau a chas gobennydd. Mi fydd angen i chi wybod p'un ai benywaidd neu wrywaidd ydy'r gwrthrychau. Edrychwch yn y geiriadur os dach chi ddim yn siŵr. Dangoswch y gwrthrychau i'r plant ac wedyn eu cuddio mewn bocs. Rhowch un o'r gwrthrychau yn y cas gobennydd. Gofynnwch i'r plant 'Be' ydy hwn?' neu 'Be' ydy hon?' gan adael iddyn nhw deimlo'r cas gobennydd a dyfalu be' sydd ynddo fo.

Wrth dacluso, dangoswch deganau, dillad
ac yn y blaen i'r plant a gofynnwch:

> Pwy sy biau hon?
> Pwy sy biau hwn?
> Pwy sy biau'r rhain?

Help llaw

gwrthrych(au)	- *object(s)*
cas gobennydd	- *pillowcase*
p'un ai	- *whether*
ac yn y blaen	- *and so forth*

uned23

 23.1 Dyfalu be'

Darllenwch y ddeialog yma efo'ch partner.

> **A:** Dw i'n meddwl am rywbeth yn yr ystafell yma.
> **B:** Iawn.
> **A:** Mae o rhwng y ffenestr a'r lle tân.
> **B:** Y gadair.
> **A:** Naci, mae o uwchben y gadair.
> **B:** Y llun.
> **A:** Naci, mae o dan y llun.
> **B:** Y silff.
> **A:** Ia, y silff, da iawn. Dy dro di rŵan.

Newidiwch y ddeialog i chwarae gêm debyg efo'ch partner.

Adre efo'r plant

Chwaraewch yr un gêm.

23.2 Helfa drysor

O gwmpas y tŷ neu'r ardd, cuddiwch degan bach, banana, neu wy Pasg bach.
Ysgrifennwch gyfres o nodiadau sy'n arwain y plant o un lle i'r llall nes iddyn
nhw gyrraedd y 'trysor'. Os dydy'r plant ddim yn medru darllen, rhaid i chi fynd
efo nhw a darllen y nodiadau, ond gadael iddyn nhw arwain y ffordd o gwmpas.

Ysgrifennwch bethau fel:

Nodyn 1 – Cerddwch i fyny'r grisiau ac edrych ar y sil ffenestr.
Nodyn 2 – (ar y sil ffenestr) Ewch i mewn i'r ystafell molchi.
Edrychwch o'i chwmpas hi. Be' sy dan y sinc?
.....ac yn y blaen.

Cân

Tôn – 'Incey Wincey Spider'

Defnyddiwch fysedd un llaw fel pry copyn
i ddringo'r biben (eich braich arall). Siglwch
eich bysedd i gyd fel glaw yn disgyn. Codwch
eich breichiau a'u hagor fel yr haul yn codi.
Yn olaf mi fydd y pry copyn (eich llaw) yn
dringo'r biben (eich braich) eto.

Dringodd y pry copyn
I fyny'r biben hir.
Glaw mawr a ddaeth
A'i olchi nôl i'r tir.
Yna daeth yr haul
A sychu'r glaw i gyd
A dringodd y pry copyn
Y biben ar ei hyd.

 **Help llaw**

pry copyn	-	*spider*
piben (b)	-	*pipe*
siglo	-	*to shake*

uned24

24.1 Cywiro treigladau

Mae llawer o dreigladau
anghywir yn y caneuon
traddodiadol hyn.
Cywirwch nhw.

Mi welais Jac y Do
Yn eistedd ar pen to,
Het wen ar ei pen
A dwy coes pren,
Ho ho ho ho ho ho.

Dau ci bach yn mynd i'r coed,
Esgid newydd am pob troed.
Dau ci bach yn dŵad adre
Wedi colli un o'i sgidiau
Dau ci bach.

Mi fydd eich tiwtor yn eich helpu i ganu'r caneuon yn iawn!
Mae'r caneuon i gyd ar CD sy'n cyd-fynd â'r llyfrau cwrs.

uned25

25.1 Stori Elen Benfelen a'r Tair Arth

Llenwch y bylchau efo'r geiriau hyn:

o amgylch	o gwmpas	rhwng	ar hyd	ar	ar
i mewn i	trwy	wrth ochr	ar hyd	ar	
ar ôl	trwy	o flaen	y tu ôl i	ar	

Mi aeth Elen Benfelen am dro _____'r goedwig.
Mi wnaeth hi gerdded _____ _____ y llwybr _____ y coed.
Yn sydyn, mi welodd hi fwthyn bach _____ _____ y llwybr.
Mi gnociodd Elen _____ y drws ond doedd dim ateb.

Mi aeth hi _____ _____ _____'r bwthyn.

Mi welodd hi gadeiriau _____ _____ y bwrdd.

Roedd y gadair gyntaf yn rhy galed.

Roedd yr ail gadair yn rhy feddal.

Mi eisteddodd Elen _____ y drydedd gadair
ac roedd hi'n berffaith.

Wedyn roedd isio bwyd _____ Elen.

Ar y bwrdd, ____ _____ pob cadair, roedd platiaid o uwd.

Mi flasodd Elen y plât cyntaf. Roedd yr uwd yn rhy boeth.

Mi flasodd hi'r ail blât. Roedd yr uwd yn rhy hallt.

Mi flasodd hi'r trydydd plât ac roedd yr uwd yn berffaith.

Mi wnaeth hi fwyta'r uwd i gyd.

Wedyn roedd Elen wedi blino.

Mi edrychodd hi ____ _____ yr ystafell.

___ ___ ____ _____ hi roedd tri gwely bach.

Roedd y gwely cyntaf yn rhy galed.

Roedd yr ail wely'n rhy feddal.

Ond roedd y trydydd gwely'n berffaith.

Mi aeth Elen i gysgu _____ unwaith.

_____ _____ cysgu'n sownd am ychydig, mi wnaeth hi ddeffro'n sydyn.

Roedd y tair arth yn cerdded ____ _____ y llwybr.

Mi neidiodd Elen Benfelen _____'r ffenestr ac mi redodd hi'r holl ffordd adre.

Ar ôl llenwi'r bylchau a mynd dros yr atebion efo'r tiwtor, darllenwch y
stori ddwywaith efo'ch partner. Wedyn cymerwch dro i guddio'r stori a
thrio dweud y stori wrth eich partner.

Adre efo'r plant

Os oes copi o stori Elen Benfelen a'r Tair Arth
mewn llyfr Cymraeg neu Saesneg, darllenwch y
stori efo'r plant. Ar adeg arall, deudwch y stori
gan ddefnyddio teganau i ddangos be' sy'n
digwydd. Mi fasech chi'n medru gwneud tŷ
Lego neu gardfwrdd ar gyfer y bwthyn a'r
dodrefn, a defnyddio dol ar gyfer Elen Benfelen
a thedis ar gyfer y tair arth. Mi fedrech chi
wneud uwd i'r plant ei flasu. Gadewch y
teganau mewn lle amlwg yn y tŷ ac mae'n bosib
bydd y plant yn eu defnyddio i ddweud y stori.

Help llaw

blasu	-	*to taste*
uwd	-	*porridge*
hallt	-	*salty*
cardfwrdd	-	*cardboard*

uned26

26.1 Gêm - diddordebau

Wrth i'r plant dyfu, mi fydd cyfle i chi rannu diddordebau efo nhw.
Taflwch ddis i symud o gwmpas y grid a thrafod y diddordebau efo'ch
partner. Ar gyfer pob gweithgaredd dach chi'n glanio arno, deudwch:

- Dach chi'n gwneud
  hyn yn barod?
- Hoffech chi roi cynnig ar y
  gweithgaredd yn y dyfodol?
- Sut basech chi'n rhannu'r
  diddordeb efo'ch plant?
  Lle? Pryd?

Help llaw	
gweithgaredd(au)	- *activity (-ies)*
rhoi cynnig ar	- *to try, to give (something) a go*
marchogaeth	- *horseriding*
olrhain hanes	- *to trace history*
crefftau	- *crafts*
casglu	- *to collect*
geirfa arbenigol	- *specialist vocabulary*
plentyndod	- *childhood*

dechrau

actio	rhedeg	paentio	canu	nofio
gemau cyfrifiadur	dawnsio	marchogaeth	chwaraeon	olrhain hanes y teulu
teithio	cerdded	crefftau	ffotograffiaeth	casglu rhywbeth
gwneud modelau	garddio	canu offeryn	gwneud llyfrau lloffion	gwylio ffilmiau

diwedd

26.2 Sgwrsio

Trafodwch efo'ch partner:

- Oes gan eich plant chi ddiddordebau?
- Oedd gynnoch chi ddiddordebau pan oeddech chi'n blentyn?
- Sut mae diddordebau a gweithgareddau plant wedi newid ers eich plentyndod chi?

Adre efo'r plant

Oes gan eich plant chi ddiddordebau? Efallai bydd angen geirfa arbenigol arnoch chi er mwyn siarad am y diddordeb yn Gymraeg. Mae *Geiriadur yr Ifanc* gan Geraint Lewis (Gwasg Gomer) yn ddefnyddiol iawn.

uned27

 27.1 Gwaith

Efo'ch partner trafodwch:

- Ydy eich plant wedi dweud pa swyddi hoffen nhw wneud?
- Pa swyddi dach chi'n dychmygu basai eich plant yn hoffi gwneud?

 27.2 Sgwrs mewn sefyllfa

Meddyg a chlaf

Partner A: Meddyg dach chi. Mae claf yn dŵad i mewn a chwyno bod ei fraich o/ei braich hi'n brifo.

Partner B: Mi wnaethoch chi syrthio yn y stryd a brifo eich braich. Ewch i weld y meddyg a gofyn am gyngor.

Siopwr a chwsmer (penderfynwch pa fath o siop)

Partner A: Siopwr dach chi. Mae cwsmer yn dŵad i mewn i'r siop ac mae o/hi isio prynu llawer o bethau. Mae rhai pethau mewn stoc gynnoch chi ond nid popeth.

Partner B: Cwsmer dach chi. Ewch i mewn i siop eich partner a gofyn am lawer o bethau.

Adre efo'r plant

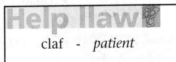

claf - *patient*

Mae plant yn hoffi chwarae gemau 'smalio bod'. Maen nhw'n cael sgyrsiau tebyg iawn i'r Sgyrsiau Mewn Sefyllfa uchod. Mi fedrwch chi chwarae siop efo nhw gan ddefnyddio pacedi bwyd o'r gegin a basged siopa. Mae'n bosib prynu stethosgop plastig er mwyn chwarae meddyg a chlaf. Ar ôl i'r plant ddechrau yn yr ysgol neu'r cylch meithrin, mi fyddan nhw'n arbennig o hoff o smalio bod yn athro/athrawes tra bod y rhiant yn chwarae rhan y plentyn.

Mae'n syniad casglu dillad a gwrthrychau defnyddiol a'u cadw mewn bocs 'gwisgo i fyny'. Efallai bydd y plant yn dechrau eu gemau eu hunain gan ddefnyddio cynnwys y bocs.

uned28

28.1 Gwyliau

Efo'ch partner, trafodwch:

- Dach chi wedi cael gwyliau llwyddiannus efo'r plant?
- Dach chi wedi cael gwyliau aflwyddiannus efo'r plant?
- Os dach chi ddim wedi bod ar wyliau efo'r plant, lle hoffech chi fynd?

28.2 Gêm

Taflwch ddis i symud o gwmpas y grid a thrafod y llefydd gwyliau hyn. Siaradwch am:

Be' fasai'r plant yn hoffi?

Be' fasai'r plant ddim yn hoffi, yn y llefydd hyn?

Siaradwch am: **y bwyd; y tywydd; gweithgareddau; lletty; teithio**

dechrau

Paris	Cernyw	Costa del Sol	Rhufain	Efrog Newydd
Fflorida	Yr Alban	Ardal y llynnoedd yn Lloegr	parc gwyliau mewn coedwig	Awstralia
Llundain	gwersyll gwyliau ar lan y môr	Dyfnaint	Awstria	De Ffrainc
saffari yn Affrica	Gwlad Groeg	Siapan	Rwsia	Seland Newydd

diwedd

Help llaw

aflwyddiannus	-	*unsuccessful*	Dyfnaint	-	*Devon*
Cernyw	-	*Cornwall*	Gwlad Groeg	-	*Greece*
Rhufain	-	*Rome*	Siapan	-	*Japan*
Efrog Newydd	-	*New York*			

Cân

Tôn –
*'The Wheels
on the Bus'*

Mae'r olwyn ar y bws yn troi fel hyn,
Troi fel hyn, troi fel hyn.
Mae'r olwyn ar y bws yn troi fel hyn,
Troi a throi fel hyn.

Mae'r chwiban ar y trên yn mynd twît twît twît,
Twît twît twît,
Twît twît twît,
Mae'r chwiban ar y trên yn mynd twît twît twît,
Twît, twît, twît.

Mae'r tonnau ar y môr yn mynd sblish sblash sblosh,
Sblish sblash sblosh,
Sblish sblash sblosh,
Mae'r tonnau ar y môr yn mynd sblish sblash sblosh,
Sblish, sblash, sblosh.

 Adre efo'r plant

Os byddwch chi'n mynd ar wyliau cyn bo hir:

- Darllenwch storïau efo'r plant am gymeriadau'n mynd ar wyliau, e.e. Smot, Sali Mali.
- Edrychwch ar fapiau a lluniau.
- Helpwch y plant i wneud rhestr o bethau i'w pacio.
- Helpwch y plant i ysgrifennu cardiau post Cymraeg at eu ffrindiau ysgol/cylch meithrin.

uned29

 29.1 Trafod y cwrs

Efo'ch partner, trafodwch be' fasech chi'n ddweud wrth y plant
yn Gymraeg ar yr adegau hyn:

- wrth drio ffeindio llyfr sy wedi mynd ar goll yn y tŷ
- wrth helpu'ch plentyn efo gwaith cartre
- wrth gymharu anifeiliaid
- wrth siarad am y gwaith llaw mae eich plentyn wedi'i wneud yn yr ysgol
- wrth siarad am y diwrnod, ar ôl i'ch plant ddŵad adre o'r ysgol neu'r cylch meithrin
- wrth dacluso'r teganau
- wrth roi barn am lyfr neu raglen deledu
- wrth baratoi i fynd ar wyliau

Deudwch gymaint ag y gallwch chi.

29.2 Gweithgareddau Cymraeg

Efo'r tiwtor ac efo'r dosbarth, gwnewch restr o bethau y medrech
chi eu gwneud er mwyn defnyddio mwy o Gymraeg efo'ch plant.

Adre efo'r plant

Nodwch yma un peth newydd dach chi'n mynd i'w wneud yn Gymraeg efo'ch plant cyn y dosbarth nesaf.

Yr wythnos yma dw i'n mynd i

_____

_____

_____

uned**30**

 30.1 Sgwrsio

Yr wythnos diwetha, roedd rhaid i chi benderfynu ar un peth newydd i'w wneud yn Gymraeg efo'ch plant. Mewn grwpiau bach, trafodwch be' wnaethoch chi.

 30.2 Darllen a thrafod

Mae'r tiwtor wedi dŵad â llyfrau Cymraeg i blant bach i mewn i'r dosbarth. Cymerwch dro i ddarllen un o'r llyfrau i'r dosbarth. Ar ôl i chi orffen, gofynnwch ychydig o gwestiynau i'r dosbarth am y stori.

Help llaw	
dal ati	- *to keep it up*
cynlluniau	- *plans*

30.3 Dal ati – rhai syniadau

Yn ystod gwyliau'r haf, oes 'na gyfle i rai ohonoch chi gyfarfod mewn grwpiau bach er mwyn siarad Cymraeg efo'ch gilydd ac efo'r plant? Be' am wneud un neu ddau o'r pethau yma:

- cyfarfod yn y tŷ unwaith yr wythnos a chymryd tro i ddarllen stori i'r plant i gyd. (Mi fasech chi'n medru mynd i'r llyfrgell i fenthyg llyfr newydd bob tro.)
- cyfarfod mewn caffi i gael diod a siarad Cymraeg
- cyfarfod i chwarae rhai o'r gemau sy yn y llyfr yma, neu'r gemau sy yn y llyfrau *Cwrs Mynediad* a *Cwrs Sylfaen*. (Rhaid i chi baratoi'r gemau cyn i'r plant gyrraedd!)
- cyfarfod yn y pwll nofio neu yn y sesiynau 'chwarae meddal' yn y Ganolfan Hamdden, a siarad Cymraeg
- cyfarfod i chwarae yn y parc a siarad Cymraeg
- cyfarfod i fynd â'r plant i rywle ar y bws neu ar y trên a siarad Cymraeg

Trafodwch eich cynlluniau fel dosbarth.

Daliwch ati a phob hwyl!

nodiadau